Diogenes Taschenbuch 24280

D1317040

THOMAS MEYER, geboren 1974 in Zürich, arbeitete nach einem abgebrochenen Studium der Jurisprudenz als Texter in Werbeagenturen und als Reporter auf Redaktionen. Erste Beachtung als Autor erlangte er 1998 mit im Internet veröffentlichten Kolumnen. 2007 machte er sich selbständig als Autor und Texter. Sein erster Roman *Wolkenbruchs wunderliche Reise in die Arme einer Schickse* wurde zu einem Best- und Longseller. Eine Verfilmung ist in Vorbereitung. Thomas Meyer lebt und arbeitet in Zürich.

Thomas Meyer

Wolkenbruchs wunderliche Reise in die Arme einer Schickse

ROMAN

Diogenes

Die Erstausgabe erschien 2012
im Salis Verlag, Zürich
Copyright © 2012 by Salis Verlag AG, Zürich
Lizenzausgabe mit freundlicher Genehmigung
Covermotiv: Illustration nach einer Fotografie von
Ryan McVey/GettyImages (Hintergrund)
und einer Graphik von VectorStock

Anmerkung zum Jiddischen

*Falls Ihnen ein jiddisches Wort unverständlich ist,
lesen Sie es laut. Falls das nicht hilft: Am Schluss des
Bandes gibt es ein Glossar.*

*Jiddisch ist eine aus dem Mittelhochdeutschen her-
vorgegangene Sprache, die in hebräischen Buchstaben geschrieben wird. Es gibt unzählige Formen
der Transkribierung; der Autor war hier um eine
einheitliche Darstellung bemüht.*

Veröffentlicht als Diogenes Taschenbuch, 2014
Alle Rechte an dieser Ausgabe vorbehalten
Diogenes Verlag AG Zürich
www.diogenes.ch
50/16/852/7
ISBN 978 3 257 24280 5

*Den zauberhaften Damen der
Confiserie Sprüngli, die mich während der
Erstellung dieses Romans so liebevoll
umsorgt haben*

ERSTER TEIL

Izt, bruder, trink ich,
un wen es rojscht in kop,
fajf ich ojf der ganzer welt
un tanz mir hop-hop-hop!

Jüdisches Trinklied

MOTTELE, DU BRINGST MICH NOCH INS GRAB!

»Mottele, wo bist du? Ich mache mir sorgn!«

Meine mame war den Tränen nahe. Dabei war gerade mol eine halbe schtunde vergangen, seit sie sich von meiner gesunthajt hatte überzeugen können. Und mir, für alle Fälle, ein frisches nostichl in die Manteltasche gesteckt hatte.

Doch das Höchstmaß an zajt, die meine mame ohne Nachricht ihres Sohnes ertragen konnte, war damit eindeutig überschritten. Ich hatte ihren Anruf daher jeden Augenblick erwartet.

»Ich bin in der Migros am Einkaufen«, gab ich artig Auskunft.

Das wusste sie eigentlich. Schließlich hatte sie mich hingeschickt. Mit einer Liste in ihrer hant-Schrift, die nebst ihr – nach jahrelangem Unterricht – nur ich entziffern konnte. »Unsere Geheimschrift!«, nannte meine mame ihre Schreibart mir gegenüber verschwörerisch. Eine von vielen Weihen, auf die ich gerne verzichtet hätte.

»Hast du alles?«, fragte sie.

Ich war gerade dabei, einen Viererstrauß Bananen zu wiegen, und hielt das Handy mit der Schulter ans ojer geklemmt, um die Hände frei zu haben.

»Noch nicht«, antwortete ich und brachte das ausgedruckte Etikett auf dem Plastikbeutel an.

»Was fehlt?«

»Nicht mehr viel.«

»Was?«

Sie schien es genau wissen zu wollen.

Ich stellte den Einkaufskorb auf den Boden und hielt das Handy richtig ans ojer. Ich stand ungünstig zwischen einem Regal und der Gemüsewaage. Ein Schüler des nahen Gymnasiums rempelte mich an.

»Mame, es ist kein guter Moment…«

Sie nötigte mich, den Inhalt des Korbes mit ihrer Liste zu vergleichen und aufzuzählen, was noch fehlte. Ich tat es und wurde in die Abteilung mit den Haushaltswaren beordert. Ohnehin mein nächstes Ziel.

Ich sagte es: »Das wäre sowieso mein nächstes Ziel gewejn.«

»Mordechai! Werd nicht frech!«

»Entschultig, mame.«

»Mottele, du bringst mich noch ins Grab!«, rief meine mame, wozu das leise Geklirr der bombelech an ihren ojern zu hören war, ließ ihre Worte noch einen Moment wirken und legte dann auf.

Wieder zu Hause, erwartete mich eine neue Liste: das umfassende Protokoll der sorgn, die sich meine mame während meiner Abwesenheit gemacht hatte. Antisemitische Angriffe kamen darin vor sowie rein kriminell motivierte Raubüberfälle und allerlei Formen des körperlichen Versagens.

»Was alles hätte passieren können!«, rief meine mame. Einer ihrer Lieblingsausrufe.

Doch entgegen allen Befürchtungen war ich auch diesmal wohlbehalten zurikgekehrt. Erleichtert drückte mich meine mame an ihren gigantischen busem, bedeckte mich mit kischn und gestand eine libe, wie sie tiefer und schöner nicht sein könne: »Sininke, sininke«, sang sie wieder und wieder, »geliebter Sohn!«

Unfähig zu flüchten, wogte ich mit ihr in ihren feisten Armen nach links und nach rechz.

Und irgendwie brachte sie es fertig, mir dabei ein zweites nostichl in die keschene zu schmuggeln.

Ich habe ihr Fotos von dir gezeigt, sie findet dich auch nett!

Mein Name ist Mordechai Wolkenbruch, kurz Motti. Meine mame heißt Judith. Sie besitzt einen enormen tuches und das beste Matzenknödel-Rezept der Welt. Bejdes hat sie von ihrer mame geerbt.

Mein tate heißt Moische. Er ist, wie ich, dünn und blass. Von ihm habe ich den rötlichen Schimmer im Bart, wobei er mir zahlreiche weiße Stellen darin voraushat und auch einiges an Volumen. Denke ich an meinen tate, sehe ich ihn, wie er auf dem Sofa sitzt: schwarze hojsn, weißes Hemd, ein schtik Bart, darüber das *Tachles*, das jüdische Wochenmagazin, oder die *Jüdische Zeitung* und ganz oben, über einer hohen Stirn, seine jarmelke.

Ich habe zwaj ältere Brüder. Salomon, genannt Schloime, und David. Bejde haben von meiner mame den tuches geerbt und von meinem tate die Hautfarbe, was ihnen starke Ähnlichkeit mit einem Schneemann verleiht. Schloime, von Beruf Chirurg und von meinem tate deshalb häufig »Koschermetzger« genannt, ist außerstande, in Zimmerlautstärke zu sprechen. Ein weiterer Wesenszug, den ihm meine mame mitgegeben hat. David hingegen, ein Biologe, ist ein stiller Mensch.

Zwaj teg pro woch arbeitete ich bei der Wolkenbruch Versicherung, der Firma meines Vaters. Die übrige zajt widmete ich mich dem Studium der Wirtschaft, was meine mame mit großem schtolz erfüllte. Bei jedem Familientreffen verkündete sie, ihr Motti stehe kurz vor der Doktorwürde, was ich jeweils beschämt relativierte: »Mame, es dauert doch allein noch ein jor bis zu meinem Master.« Sie lachte: »Mottele, das schaffst du in draj Monaten, du bist ein so gescheiter jing; schon als kleiner Bub bist du gescheit gewejn; und nachher wirst du auch sofort Doktor!« Doch das sagte sie nicht mehr zu mir, sondern in die Runde hinaus, heftig nickend, und ich widersprach nicht mehr. Widerspruch war in den ojgn meiner mame ein schweres Vergehen und wurde mit sofortigem Einfrieren der Beziehung geahndet: Anstatt dass sie mich zur Begrüßung umarmte, hielt sie mir dann vorwurfsvoll die bak entgegen, auf dass ich ihr einen reumütigen kisch draufgebe. Die nostichl-Versorgung wurde für die Dauer der Sühne natürlich eingestellt.

Irgendwann entschied die mame jeweils, ich hätte genug für meinen schlechten Benimm gebüßt, und wärmte das Verhältnis wieder auf: Ich war wieder der geliebte sininke und wurde wieder an die bristn gepresst, und griff ich in die keschene meines Mantels, so stieß meine erleichterte hant wieder auf das vertraute Quadrat aus Stoff.

Wir führten ein gewöhnliches, frommes jüdisches Dasein: Meine mame kochte knajdlech und hielt die allgemeine Disziplin aufrecht, und mein tate verkaufte den Zürcher jidn Versicherungen. Der Satz »Man weiß ja nie!« war dabei sein liebstes Verkaufsargument. Und auch das überzeugendste, hatte er es doch mit Leuten zu tun, deren Vorfahren von einem tog auf den anderen erst nicht mehr mit der Straßenbahn reisen durften und schpejter nur noch im Güterwaggon.

Jeden tog gingen wir in die schul zum dawenen. Mein tate am frimorgn und am uwnt, ich manchmal nur am uwnt.

Jeden frajtik nach Einbruch der Dämmerung zündete meine mame die lichtlech an, und wir sangen und aßen miteinander und unseren Gästen.

Mein Bruder Schloime hatte schon eine eigene mischpuche.

Mein Bruder David ebenso.

Ich nicht.

Das machte meine mame, deren Brautvermittlungsbemühungen für ihre bejden anderen Söhne schon mit dem jeweils ersten Versuch voll ins Üppige getroffen hatten, hochgradig nervös. Denn bei mir taten sie dies nicht. Der Grund lag darin, dass meine mame auch mich ausschließlich mit Duplikaten ihrer selbst bekannt machte: Rachel, Dania, Sara, Mazzal, Rifka, Joelle, Bracha, Schoschanna; und alle schwatzten sie mich in Grund und Boden, während sie in unserem Wohnzimmer milchikes gebek in sich hineinstapelten, das meine Mutter vom Koscherbäcker besorgt hatte. Ich schwieg jeweils dazu, und auch schpejter, nachdem die jungen, dicken frojen gegangen waren und die mame meine Meinung hören wollte, schwieg ich.

»Die ist doch nett!«, behauptete meine mame etwa von Rachel.

Ich saß da und zählte konzentriert die Kuchenkrümel auf dem leeren gebek-teler. Zwajunfirzik waren es; die ganz kleinen, schlecht zählbaren nicht eingeschlossen.

Nett war Rachel gewejn, durchaus.

»Und hipsch!«

Das nun weniger.

»Mordechai! Du rufst sie jetzt an!«

Doch ich schwieg einfach und starrte auf den teler, bis meine mame sich erhob und schnaubend die tir hinter sich zuwarf. Und mich wieder amol vom nostichl-Nachschub abschnitt.

Da Zürichs jüdische Gemeinden von überschaubarem Charakter sind, musste meine mame bald auf andere Städte ausweichen. Sie schickte mich nach Bern, nach Basel, nach St. Gallen und nach Lugano und errechnete mit gespenstischer Präzision den Zeitpunkt, an dem meine eventuelle Ehefrau und ich den zweiten Kaffee erhielten. Genau dann rief sie jeweils an und erkundigte sich über den Verhandlungsverlauf: »Und, Mottele, wie gefelt sie dir?«

»Mame, ich bin eben erst angekommen.«

»Aber wie gefelt sie dir? Ich will doch einen gitn schidech machen!«

»Ich rufe dich zurik, ja?«

»Sie ist sejer nett!«

»Ist gut, ich –«

»Ich habe ihr Fotos von dir gezeigt, sie findet dich auch nett!«

»Mame, wir –«

»Auch Fotos von früher, als du klein warst; weißt du, das Bild, wo du naket bei Guggenheims im gortn herumrennst, sie hat es richtig betamt gefunden!«

»Also, mame, ich muss los.«

»Motti! Willst du *deiner mame* das Telefon aufhängen?«

»Nein, aber –«

»Dann hörst du mir jetzt zu! Sie ist *sejer* nett, glojb mir!«

»In ordenung. Wir hören uns schpejter.«

»Du hängst mir nicht das Telefon auf! MORDECHAI!«

Als ich vor einiger zajt von einer solchen Reise heimkehrte, erwartete mich meine mame am Esstisch, vor sich die zerknüllten Verpackungen von zwaj Tafeln Schokolade.

»Nu, Motti?«, fragte sie, ihre ojgn wie chanike-Kerzen.

»Ich wajs nischt, mame«, wich ich aus, um doch irgendwann mol etwas zu sagen.

»Wus wajstu nischt?«, blähte sie ihre Brust.

Ich fuhr mir mit der hant in den bort, denkend: Jetzt kannst der eigenen Mutter ja schlecht sagen, das mejdl gefelt mir nicht, die sieht aus wie du.

Also sagte ich: »Da war nischt kejn funk zwischen uns, mame.«

»Kejn funk!«, rief die mame. »Was brauchst du a funk! Du brauchst a froj!«

Wie sejer dem ihrem Dafürhalten nach so war, demonstrierte sie am darauffolgenden schabbes in unserer Synagoge an der Freigutstraße. Der tate und ich setzten uns zu den menern und die mame ächzte sich zu den anderen frojen hin, wo sie, noch bevor sie den Mantel abgelegt hatte, vernehmlich durch den Raum rief: »Habt ihr jetzt endlich a mejdele für meinen Motti gefunden?«

Die anderen mener drehten sich alle zu mir um, aber nicht mitleidig, eher mitfühlend. Sie hatten auch eine mame. Das verbindet.

Mich beunruhigte vor allem das »endlich« – sollte das heißen, hier war seit längerem eine offizielle, gemeindeumspannende Kampagne am Laufen?

Vieles deutete darauf hin. So brachte mich meine mame einige teg schpejter unter einem Vorwand mit dem ojto nach Basel. Angeblich sollte ich ihr helfen, bei einer alten froj, die ihre Wohnung räumte, ballenweise Stoffe für mames wöchentlichen Nähabend abzuholen. Tatsächlich war aber die froj gar nicht so alt und auch weit davon entfernt, ihre Wohnung aufzugeben; und es gab auch keine Stoffe, dafür eine Tochter, zu der ich kurzerhand in ein stockiges zimer gescheucht wurde. Die tir blieb sittsam offen.

Die junge froj, Hannah ihr Name, war von fesselnder Hässlichkeit und sah nur kurz auf, als wir miteinander bekannt gemacht wurden. Danach schaute sie nur noch auf ihre fis hinab. Zudem sprach sie sejer leise, so dass ich immer wieder nachfragen musste, was sie gesagt hatte.

So muss es früher im Königsschloss mit der ungestalten Prinzessin gewejn sein, dachte ich; man sperrte sie ins Turmzimmer und schleuste Prinz um Prinz hinauf, in der hofenung, einer habe schlechte ojgn.

Es gelang Hannah und mir nicht, eine Unterhaltung zum Laufen zu bringen, und als sich nach zwanzik minutn unsere Mütter dazugesellten, um uns einander schmackhaft zu machen, indem sie Charaktereigenschaften herausstrichen, die wir gar nicht besaßen, zumindest ich nicht, kippte die schtimung vollends ins Unerträgliche. Als auch den bejden Müttern nichts mehr zu sagen einfiel, verabschiedeten uns meine mame und ich und stiegen wieder ins ojto.

Während wir unseren Weg aus der schtot heraus suchten, probierte ich, meine Empörung darüber zu bekunden, derart skrupellos in einen Hinterhalt chauffiert worden zu sein, wurde aber von meiner mame übertönt, die mich den störrischsten jid schalt, der ihr je untergekommen; was denn nun mit dieser Hannah wieder nicht in ordenung sei.

Ich zählte es auf.

»Asoj«, rief meine Mutter maliziös und trat aufs Gaspedal, »der Herr Wolkenbruch hat Ansprüche!«

Ich bestätigte es.

»Selbst ist Herr Wolkenbruch aber auch nicht unbedingt der König der jidn!«

»Wie meinst du das?«, fragte ich mit der Stimme eines Zwölfjährigen und ärgerte mich darüber. Immer wenn ich gegen meine Mutter aufbegehrte, klang ich wie ein Kind.

»Ich will nur sagen: Überleg dir, ob du es dir leisten kannst, wählerisch zu sein.« Man konnte ihren Schweiß riechen.

»Ich möchte glücklich sein, nicht wählerisch«, sagte ich nach einer Pause.

»Haha! Glücklich!« Meine Mutter war ehrlich amüsiert. »Weißt du, von wem du abstammst?«

Oj, dachte ich mir, jetzt kommt wieder die Leier von der armen polnischen Urgroßmutter, die seks teg die woch als Wäscherin arbeiten musste und deren höchstes glik darin bestand, ihre finf kinderlech satt ins bet zu bekommen.

Ich sagte besser nichts mehr.

»Weißt du, von wem du abstammst!« Jetzt klang meine mame nicht mehr so amüsiert.

»Von Mimi Eisengeist aus Polen«, antwortete ich brav.

»Glik, mein Lieber«, dozierte meine mame, »ist etwas für die Märchenbücher. Und zwar für gojische Märchenbücher.«

Wir erreichten die Autobahn. Meine Mutter fuhr zu schnell, die ojgn gekniffen. Zwischendurch sah sie auf den Tacho und nahm den fus etwas vom Pedal, beschleunigte aber bald darauf wieder.

Bis Rheinfelden redeten wir kein Wort.

Dann fragte ich: »Mame, warum ist es so wichtig, dass ich jetzt heirate? Das kann doch auch schpejter sein.«

Keine Antwort.

Schweigen bis zur Ausfahrt Stein-Säckingen, dort von mir gebrochen: »Und überhaupt, ich kann das doch auch selbst organisieren.«

Keine Antwort.

»Mame?«, probierte ich es nach der Ortschaft Frick wieder.

Blik steif geradeaus.

Erst als wir in Zürich in die Hopfenstraße einbogen,

sagte sie wieder etwas: »Übermorgen fahren wir noch amol nach Basel.«

Dann parkte sie, würgte den Motor ab, wuchtete ihren kerper aus dem ojto und rauschte zu unserem Haus.

Am uwnt versalzte sie mir das Essen.

KENNENLERNEN FRAU HERBSTLAUB, KENNENLERNEN FRAU TANNENBAUM

»Borech habo!«, rief mein tate und blickte von einem papir auf; gesegnet sei der Eintretende!

»Borech nimze!«, antwortete ich und ging zu meinem Schreibtisch; gesegnet sei der Angetroffene!

So begrüßten wir uns immer, doch wir gebrauchten den Segensspruch scherzhafterweise auch, wenn einer von uns von einem längeren Aufenthalt auf dem kloset zurikkehrte, so wie ich an diesem morgn, der für März viel zu warm war. Draußen auf der Straße trugen die Leute ihre dicken Winterjakn unter dem Arm und blinzelten ungläubig in die sun.

»Ojsgekakt?«, erkundigte sich mein tate, nachdem er den blik wieder zu seinen Unterlagen genommen hatte.

»Ojsgekakt!«, bestätigte ich, meinen Bedürfnissen Genüge getan zu haben.

»As men hot nischt wus ze tin, is kakn ojch an arbet«, tönte es darauf fröhlich vom Pult des Herrn Hagelschlag herüber, einem Experten für Sachversicherungen und jiddische Redensarten. Herr Hagelschlag war ein lieber und kugelrunder mentsch mit glänziger Glatze und schmutziger briln und hatte stets eine große Papiertüte vom Koscherbäcker mit dabei, die er bescheiden »a klejner nasch« nannte. Während der arbet bediente er sich munter daraus; so auch jetzt wieder. Doch sein Griff ging ins Leere; die Vorräte waren offenbar erschöpft. Herr Hagelschlag machte grojse ojgn in die Tüte hinein, rief: »Einer hot kejn apetit zim essn, der anderer hot kejn essn zim apetit!«, erhob sich und verschwand, um mit neuem nasch zurikzukehren.

»Borech habo!«, riefen mein Vater und ich zwanzik minutn schpejter aus einem Mund, und weil Herr Hagelschlag den seinen schon voll hatte, holte er zu einer entschuldigenden Geste mit den Händen aus, die wiederum voll waren mit der neuen Papiertüte und koscherem gebek. Das gab ein großes Knistern und Krümeln und wir lachten alle draj.

Ich nahm Herrn Hagelschlags Präsent, ein koscheres Vanillehörnchen, entgegen, biss hinein und rief meinen Online-Kalender auf, um mir einen Überblick über die geschäftlichen Termine für diese woch zu verschaffen.

Es waren sibn an der Zahl. Und sie waren alle durch ebenso viele private Termine ergänzt; jewels direkt im Anschluss.

Kennenlernen Frau Herbstlaub, Kennenlernen Frau Tannenbaum, stand da unter anderem.

Ich hörte auf zu kauen.

Nach kurzem Überlegen stand ich auf und trat zu Frau Kahn ins Vorzimmer.

Frau Kahn, eine birnenförmige, unverheiratete Dame von circa finfzik jorn, deren Zivilstand mir immer wieder als Schreckensexempel vorgehalten wurde, war die Sekretärin der Wolkenbruch Versicherung. Sie stand wohl im brojt meines Vaters, doch die tatsächliche Befehlsgewalt über sie lag bei meiner mame, die Frau Kahn regelmäßig und entgegen jeder Wahrheit erzählte, die Finanzen unserer firme bewegten sich in eine bedenkliche Richtung und Frau Kahns Anstellungsverhältnis dürfe keineswegs als gesichert betrachtet werden; jedoch werde sie, meine mame, selbstverständlich ein gutes Wort einlegen.

Im Gegenzug war Frau Kahn nur zu gern bereit, meiner mame hin und wieder einen Wunsch zu erfüllen und beispielsweise meine Kundentermine kurzfristig in Kennenlerngespräche mit jungen frojen abzuändern. So war es erst kürzlich geschehen, dass ich im Sitzungszimmer, bewehrt mit Versicherungsofferte und koscherem Kaffeerahm, den alten Herrn Sonnenblum erwartet hatte und Frau Kahn dann ein mir unbekanntes Fräulein hereinführte, für ein ganz anderes gescheft. Das war für bejde etwas unangenehm; allerdings konnte ich auf diese Weise schon die eine oder andere Police abschließen.

Brachte also mein Vater seine Verträge für gewöhnlich mit dem Satz »Man weiß ja nie!« unter Dach, lautete meiner: »Wenn Sie schon mal hier sind.«

»Frau Kahn?«, sprach ich sie an.

»Ja, Herr Wolkenbruch?« Sie war gerade dabei, Rechnungen in konwerten zu stecken. Vor ihr lag ein Haufen hellblauer Klebeflächen-Schutzfolienstreifen, zu Girlanden verdreht.

Klebeflächen-Schutzfolienstreifen, ein langes Wort, dachte ich mir, während ich unschlüssig vor Frau Kahns Pult herumstand. Dann bemerkte ich: »Sie haben mir da ein paar Termine eingetragen.«

»Ja, sejer interessante Kunden; unter anderem Herr und Frau Maisfeld, die –«

»Ich meine die sibn privaten.«

»Ja, sejer interessante frojen; unter anderem Frau Leibowitz, die –«

»Frau Kahn, Sie können nicht…« – ich überlegte – »…wir sind eine Agentur fürs Versichern, nicht fürs Heiraten.«

»Aber Sie brauchen doch eine froj?« Sie sagte es, als hätte mein Drucker kein papir mehr.

»Frau Kahn…« Ich schloss kurz die ojgn und rieb mit Daumen und tajtfinger meine Nasenflügel.

»Ja?« Unsere Sekretärin betrachtete mich seltsam. Ihr linkes Lid flatterte dabei zwaj mol leicht.

»Berichten Sie diesen frojen bitte wieder ab.«

Frau Kahn senkte ihren blik auf den Tisch. »Das geht nicht«, brachte sie dann mühsam hervor.

»Wieso nicht?«

»Weil… weil…«

»Ja?«

»Weil… ich die numern nicht habe.«

»Warum nicht?«

»Ihre… Ihre… Ihre mame hat das organisiert.«

Sie betrachtete noch immer aufmerksam die Tischplatte.

Und mir fiel ein, warum meine mame das organisiert hatte.

Draj teg zuvor hatte ich mich geweigert, an einen geplanten schidech zu gehen. Es lag gerade einer hinter mir, und da dies jedes mol ein hypnotisches Vorbereitungsgespräch sowie hinterher eine Manöverbesprechung bis in alle Nacht bedeutete, fehlte mir der kojch, bereits in die nächste Runde zu steigen. Also wagte ich, auf die Bekanntgabe des neuen Termins, die bei meiner Heimkehr von der uniwersitejt erfolgte, zu entgegnen: »Mame, danke, aber ich mag nicht schon wieder. Können wir das nicht amol für einen Moment bleiben lassen?«

Ich befürchtete eine Maßregelung der Spitzenklasse, doch meine Mutter nahm die Verweigerung wortlos entgegen. Sie raffte lediglich leicht indigniert die Rockschöße und gab ein farwolkntes »Hm!« von sich.

Ich freute mich über diese geradezu wohlwollende Reaktion.

Zu fri, wie sich nun zeigte.

Ich berichtete die Angelegenheit meinem tate, der die mütterliche Methodik auch nicht als unbedingt ideal empfand, den ihr zugrunde liegenden Bedarf jedoch nicht von der hant weisen mochte und somit nicht dafür zu haben war, meiner mame in die Parade zu fahren. Für ein solches Wagestück hätte ich ihm aber ohnehin nicht die günstigsten kortn bescheinigt; und er sich wohl auch nicht.

Sibn aufgeregte, in züchtiges x-Large gewandete frojen klingelten in der unabwendbaren Folge bei uns im ofis und wollten gar nicht mehr aufhören zu schwatzen: von ihrer letzten Reise nach Israel und den Besuchen bei ihren vielen Verwandten, vom nahenden pajsech und den dazugehörigen Köstlichkeiten (macht deine mame auch so phantastische knajdlech?), vom Kinderkriegen (mindestens vier!), von ihrer mame (wunderbare Person!), vom Nahostkonflikt, für den jede eine Lösung parat hatte, von ihrer goldenen zajt im jüdischen Kindergarten und schließlich von den Unterschieden zwischen polnischem und litauischem Jiddisch, ob man nun »dus« oder »dos« sagt, wobei sie, je nach Herkunft ihrer Ahnen, den einen der bejden Dialekte als unechtes, vor allem aber unschönes Jiddisch bezeichneten.

Und alle plünderten sie währenddessen die Papiertüte des armen Herrn Hagelschlag, der hilflos von meinem Vater zu mir und zurik sah, irgendwann beim Koscherbäcker Nachschub herbeischaffte und letztlich entsetzt mitansehen musste, wie auch dieser weggeputzt wurde.

Es entstand Herrn Hagelschlag, wie dieser schpejter geknickt zu Protokoll gab, ein Schaden von insgesamt zwölf Berlinern, sibn Mandelgipfeln, sechzehn Croissants, vierzehn Vanillehörnchen und seks Nussschnecken.

Mein tate gab ihm hundert Franken. Herr Hagelschlag wehrte ab; er habe die Quittungen nicht mehr und könne die Summe nicht belegen. Doch schließlich ließ er sich überreden und brach auf, um das gelt in zuker zu verwandeln.

Wenig schpejter schrieb mir jede der sibn Damen einen blizbrif und setzte darin ihre Schilderungen munter fort, wobei alle mehr oder weniger elegant durchblicken ließen, es stehe einem näheren Kennenlernen nichts im Weg. Es wurden auch baldige erneute Besuche in Aussicht gestellt: Man freue sich, hieß es, mit meiner zuvorkommenden mame die nötigen Arrangements treffen zu dürfen.

Ich ließ alles unbeantwortet.

Mehrmals vernahm ich während dieser teg aus dem Vorzimmer, wie Frau Kahn diversen Anrufern bestätigte, unser Internetanschluss funktioniere einwandfrei. Daraufhin erhielt ich die ganzen blizbrifn abermals.

Dass meine Mutter die arme Frau Kahn beeinflusste, war mir übrigens bekannt, seit ich sie vor ungefähr einem jor zufällig beim Telefonieren belauscht hatte. Mein tate und ich wollten nach dem frischtik gemeinsam das Haus verlassen, doch ich hatte meinen Hemdsärmel mit eingemachts bekleckert und musste mich umziehen; und so ging mein tate, der einen wichtigen Anruf aus Israel erwartete, schon amol voraus.

Meine mame, die sich im Wohnzimmer aufhielt, wähnte sich nach dem Zufallen der tir anscheinend allein. Während ich in meinem zimer meinen schnips neu knüpfte, hob sie den Hörer auf, wählte eine numer und trällerte kurz darauf: »A gitn tog, Frau Kahn! Ist mein man schon im buro?«

Ich glaubte, nicht recht zu hören, wusste ich doch so gut wie meine mame, dass mein tate für den Weg zehn minutn benötigen würde.

»Ach, er macht sich so viele sorgn... Ja, ums gescheft... Hat er Ihnen nichts gesagt? Der letzte Monat war wieder ganz schlecht... Ja, kaum Abschlüsse... Wie?... Ja, es gibt zwar viele Verkaufsgespräche im buro, aber die lajt überlegen es sich dann im letzten Moment doch anders... Vermutlich die konkurenz; die gojim versichern heute ja so billig... Ich hoffe nur, mein man kann Sie behalten... Sie tun dem gescheft doch so gut...«

So ging das eine Weile; meine Mutter zeichnete den Un-

tergang der Welt in den fürchterlichsten farbn, hier und
dort von einem Tüpfchen der hofenung aufgehellt.

Währenddessen schlich ich mich aus dem Haus.

Im ofis empfing mich Frau Kahn mit bittendem blik.

Meinem tate sagte ich nichts.

DI SCHPAJSKART,
SAJT ASOJ GIT!

»Nu, Motti?«, flötete meine mame, als ich am frajtik-uwnt jener woch nach Hause kam. Sie traf gerade die Vorbereitungen für den schabbes und entzündete im Wohnzimmer finf Kerzen; eine für jeden von uns.

Sie fragte es völlig beiläufig, doch es gab keinen zwajfl daran, dass sie mich mit diesen Worten nicht etwa begrüßte, sondern umweglos auf die Besuche der sibn schidech-Kandidatinnen ansprach.

»Wus?«, stellte ich mich mit polnischem Jiddisch ahnungslos und ließ mich aufs Sofa fallen, wo ich meinen schnips lockerte.

»Nu, die mejdlech!«, machte sich meine mame mit einem kleinen Seitwärtsschritt an die letzte Kerze. Nachdem deren Lichtlein sich zu den vier anderen gesellt hatte, sprach meine Mutter rasch und leise, während sie das Streichholz auswedelte: »Baruch ata adonai, elohenu melech ha'olam, ascher kidschanu bemizwotaw, weziwanu lehadlik ner schel schabat.«

Damit hatte der schabbes begonnen.

»Ah, die mejdlech…«, lockerte ich meinen schnips abermals, obgleich er bereits gelockert war.

»Du darfst aber nur eine nehmen, nicht alle sibn!«, lachte

meine mame herzhaft, aber irgendwie auch angriffslus-
tig.

Ich schwieg. Das Eis war dünn.

»Du nimmst doch eine?«, stützte meine mame die Hände
in die Hüfte.

Ich schob meinen blik zur want hinüber. Dort befand sich,
seit ich denken konnte, ein Behang aus dem Orient. Obgleich er schon alt war, leuchteten seine farbn noch immer
aus voller Kraft. Eine Karawane von kleinen Kamelen marschierte seine vier Seiten entlang. Ich mochte die Kamele
schon als kleiner jing. Dass sie einander alle hinterherliefen
und ihre Kolonne dadurch weder einen Anfang noch ein
Ende hatte, hatte mich immer fasziniert. Ich konnte schtun-
dnlang vor den Kamelen sitzen und den vermeintlichen
Rudelführer ausmachen, um mich dann auf einen anderen
festzulegen.

»Motti?«

Meine Mutter war zwaj Schritte zum Sofa herangetreten.

Interessant, wie drohend man einen Namen aussprechen
kann, dachte ich mir.

»Ja, mame?«, sah ich hoch.

»Du nimmst eine!« Meine mame hielt noch immer das
abgebrannte Streichholz zwischen den Fingern, wies damit
in meine Richtung und fixierte mich; ihre dicken, schwarzen Augenbrauen wie verkeilte Panzersperren. Dann fiel
ihr ein, dass sie ja nach Beginn des schabbes nichts mehr in
der hant halten durfte, was zum Feuermachen dient, und
entledigte sich rasch der hölzernen Fehlbarkeit.

Ich betrachtete wieder den Wandbehang und stellte mir vor, wie ich auf eines der kleinen Kamele stieg und davonritt; aus der schtot hinaus, zum Meer hinab, die Küste entlang, in die Dünen hinein und von der mame fort.

»Mir hat aber keine gefallen«, sagte ich.

»Was soll das heißen?«, brodelte es aus der mame heraus.

Ich nahm all meinen Mut zusammen, blickte ihr fest in die ojgn und sagte: »Kejne hot mir nischt gefeln, mame.«

»Willst du sagen, ich gebe mir keine Mühe?«, ließ sie ihre Hände sinken. Es lag so viel Enttäuschung in dieser Geste, dass der ohnehin schon magere wint in meinen Segeln gänzlich daraus wich.

»Nein, das nicht, aber ich –«

»Weißt du eigentlich, wie viel zajt es mich kostet, dir eine froj zu suchen? Immer wieder einen neuen schidech zu organisieren?«

»Das ist lieb, aber –«

»Du könntest ruhig ein bisschen dankbarer sein. Oder überhaupt dankbar!« Ihre schtim bröckelte, die ojgn begannen zu glänzen.

»Ich bin ja dankbar«, beschwichtigte ich.

Meine mame schaute mich tieftraurig an. »Motti, ich will die mezinke tanzen«, äußerte sie dann nach einer kurzen Pause ihren Wunsch nach diesem speziellen Tanz, den die Eltern aufführen, wenn ihr jüngstes Kind heiratet.

Wie um ihr Begehr zu bekräftigen, hob sie ein wenig den linken fus und trat auf dem Parkett auf.

»Und ich will eine froj heiraten, die mir gefelt«, entgegnete ich.

Wir sagten nichts mehr; meine mame betrachtete den Fußboden, als stünde dort die adres der froj, mit der man mich verheiraten konnte, und ich widmete mich den gestickten Kamelen, als lüde mich irgendwann eines dazu ein, auf ihm davonzureiten.

Doch weder der Boden noch die Kamele boten einen Ausweg aus der Unvereinbarkeit von mütterlichem und söhnlichem Wunsch, und es fühlte sich so an, als gäbe es überhaupt keinen.

Schließlich erklang dumpf das Spülgeräusch aus dem kloset. Die tir ging auf und mein tate trat heraus; in die Achsel geklemmt eine gerollte Ausgabe der *Jüdischen Zeitung,* während er seinen Hosengurt schnallte.

Der Auftritt weckte meine mame aus ihrer Vertiefung. Sie schaute von ihren fis auf, besah mich kurz mit gekniffenen ojgn, murmelte: »Ich bin geschtroft. Geschtroft!«, und verschwand in der kich, um dort lautstark mit irgendwelchen Gerätschaften herumzuklappern. Sie hatte schon den halben tog lang das schabbes-Essen vorbereitet und schickte es nun in seine Vollendung. Den Esstisch hatte sie schon am frimorgn feierlich gedeckt.

Mein tate sah ihr verwundert nach, schloss dabei den Gürtel, klopfte mir mit der Zeitung kameradschaftlich auf die Schulter und zog sich die Schuhe an, um mit mir in die schul zum dawenen zu gehen. Er war bereits geduscht und frisch angekleidet. Ich beeilte mich, es ihm gleichzutun.

Als wir zurikkehrten, holte mein tate zwaj Etagen höher die alte Frau Zuckerbrot ab, die wir häufig zum schabbes-

Essen einluden. Weil Frau Zuckerbrot nahezu taub war und das Klopfen nicht hörte, galt die Abmachung, dass mein tate jeweils einfach ihre Wohnung betreten durfte. Dort traf er sie, da auch Frau Zuckerbrots Gedächtnis nicht mehr das beste war, gar nicht selten beim kakn oder schlufn an.

»Git schabbes!«, krähte Frau Zuckerbrot, als sie, auf den Arm meines Vaters aufgestützt, durch unsere Wohnungstir trat. Ich erwiderte den Gruß, begleitete Frau Zuckerbrot zum Sofa und schenkte ihr ein glos waser ein. Mein tate setzte sich zu uns und führte einen oberflächlichen, aber lautstarken Wortwechsel mit Frau Zuckerbrot. Schließlich gesellte sich meine mame zu uns und wir sangen alle vier Schalom Alechem und Eschet Chajil. Frau Zuckerbrot irrte sich dauernd im Text. Dann wuschen wir unsere Hände und begaben uns zum Tisch, wo mein tate über den Wein und die zwaj challes in der Tischmitte den kiddusch sprach und wir das brojt im Salz tunkten. Meine mame verschwand noch einmal in der kich und wir anderen setzten uns.

Mein tate rief fröhlich in Richtung meiner mame: »Kelnerin! Ich bin hungerik! Ich bin durschtik! Di schpajskart, sajt asoj git!«

Meine mame gab eine wüste Replik von sich, des ungefähren Inhaltes, dass sie weder eine kelnerin sei noch eine schpajskart auszuhändigen gedenke.

Mein Vater ließ sich nicht entmutigen: »Brengt mir a bisl waser! Und brojt mit piter!« Bei den letzten Worten schlug er mit der hant rhythmisch zu jeder Silbe auf seinen Oberschenkel und amüsierte sich dabei prächtig.

Anstelle von waser und brojt kam aus der kich die Auf-forderung: »Kisch mir im tuches!«

Der tate antwortete, er werde das gern tun, müsse sich aber dafür mit waser und brojt stärken; wo bejdes bleibe.

Als wir endlich vollzählig am Tisch saßen, rief mein Vater: »Lechajm!«, und prostete uns zu.

»Lechajm«, flüsterte ich.

Meine mame sagte nur: »Chm.«

Während des Essens dann schluchzte sie leise vor sich hin.

»Wus is?«, fragte mein Vater besorgt.

Ohne aufzublicken, wies meine mame mit der gopl auf mich und zog lojt die nos hoch.

Also sah der tate zu mir: »Motti, wus is?«

Ich hob, ebenfalls ohne aufzusehen, die Schultern und ließ sie wieder fallen.

Und mein Vater seufzte: »Oj«, und alle schoben wir stumm mit dem Besteck das Essen im teler herum, bis es nichts mehr zu schieben gab.

Ich trank dazu ordentlich Wein vom Berg Hermon.

Schließlich lag ich recht ongetrunkn in meinem bet. Durch das Fenster schaute groß und gelb die lewojne vom himl herab und legte ihr gleichmütiges, uraltes Licht auf die Welt.

Obwohl der Wein auf mich einwirkte und es schon schpejt war, konnte ich nicht einschlufn. Die sibn frojen, die mir hinten und vorne nicht gefielen, hatten mir schmerz-lich das Fehlen eines gegenteiligen Wesens in meinem lebn aufgezeigt.

Und die Tatsache, dass ich dieses Wesen längst kannte, machte es nicht besser.

Das Unheil war vergangenen November über mich hereingebrochen.

In keiner Weise ahnend, was mich dort erwarten würde, radelte ich morgens fröhlich zur uniwersitejt; im Rucksack verstaut Laptop, Notizblock, Schreibetui, zwaj bichlech über Wirtschaft und eine Banane mit einem brojnen Fleck. Es war ein wolkenloser, aber ausgesprochen kalter tog, und als ich die Uni betrat, beschlug meine briln sofort. Nachdem ich sie abgenommen und die Gläser mit meinem Pulloversaum klargerieben hatte, stieg ich die nunmehr wieder sichtbare Treppe zum Vorlesungssaal hinauf. Vor dessen tir hatte sich eine Stauung von Menschen ergeben. Ich stellte mich an.

Da rief neben mir eine junge froj: »Laura!«

Ein paar Schritte weiter vorn drehte sich ein mejdl um. Sein hell-brojnes, langes hor tat einen frischen Schwung und brachte große, grüne ojgn hervor, die in einem punem von solcher Anmut, von solchem Liebreiz und solcher Lebendigkeit leuchteten, dass ich mit staunendem Mund stehen blieb. Noch nie hatte ich eine derart schejne froj erblickt, und unwillkürlich sprach ich leise den Segensspruch beim Sehen von Bäumen oder anderen Geschöpfen von außergewöhnlicher Schönheit: »Baruch ata adonai, elohenu melech ha'olam, schekacha lo be'olamo«; gelobt seist du, Ewiger, unser G't, König der Welt, dies alles ist Bestandteil seiner Welt.

Die bejden Freundinnen umarmten sich und ich wünschte mir, ich wäre es, der so herzlich von dieser Laura begrüßt würde. Ein wehes glik stieg dabei in mir empor; sehnsüchtig und selig zugleich, als spielten tojsnt Himmelswesen auf tojsnt kleinen Violinen klesmer. Ein Empfinden, das sich erheblich steigerte, als ich Laura beim Betreten des Vorlesungssaales verstohlen auf den tuches schaute. Denn was ich da sah, war so ganz anders als alles mir Bekannte; es war so ... – ich muss die Worte suchen – ... so kompakt. Und so gewinnend!

Sofort fühlte ich mich sejer schlecht, auf mehreren Ebenen; als hätte ich ein Kilo milchikes mit einem Kilo fleischikem vermengt und in einem Bissen heruntergewürgt. Mir gefiel diese Laura unsäglich. Doch allein schon der Tatsache, dass sie hojsn trug – wohlgemerkt auffallend sportlich geschnittene –, war zu entnehmen, dass es sich bei dieser froj um eine schikse handelte; auch ihr unjüdischer Name verriet, dass sie mit großer Wahrscheinlichkeit regelmäßig Schweine aß und am schabbes hemmungslos elektrische Gerätschaften in Gang setzte. Dennoch empfand ich den Namen Laura als Wohlklang, und ich muss gestehen, dass sich die Achse meiner jiddischkajt an diesem frimorgn leicht verschob.

Es gibt diesbezüglich seltene kleine, verzeihliche Fehltritte; mol schreibt man am frajtik kurz nach Sonnenuntergang noch jemandem einen blizbrif, mol begegnet einem ein frei laufender junger Hund, und obwohl Hunde unkoscher sind, kann es vorkommen, dass man diesem Hund den kop tätschelt und dann rasch weitergeht, in der hofenung, es habe kein jid zugeschaut. Auch in der Migros in Wiedikon macht man das so, wenn man ausnahmsweise etwas kauft, das nicht auf der Koscher-Liste unserer Gemeinde, der Israelitischen Religionsgesellschaft, zu finden ist; dann schaut man erst nach links und nach rechz, bevor man es in den Korb legt.

Diese Dinge kommen vor.

Jedoch einer schikse auf den tuches zu starren und in ihrer Erscheinung die Erfüllung aller Sehnsüchte zu wähnen: So was kommt nicht vor.

Wohl aus diesem Grund vernahm ich an jenem tog tief in mir drin die warme schtim von G't:

Mordechai, geliebtes Kind!

Ich zuckte leicht zusammen: »Ja, ojberschter in himl?«

Und G't sprach: *Ich hub deine unkoscheren gedankn gehert.*

Ich schwieg.

Und G't sprach: *Wir sind uns einig, dass sie unkoscher sind?*

Ich nickte kurz und rasch.

Und G't sprach: *Und wir sind uns einig, dass unkoscher… nun ja: unkoscher ist?*

Ich nickte noch amol.

Und G't sprach: *Fein. A gitn tog, geliebtes Kind.*

Damit erlosch das Licht in meinem Innersten wieder.

Einen Augenblick noch blieb ich so stehen. Dann betrat ich den Vorlesungssaal; gerade in dem Moment, als die glok den Beginn der Vorlesung markierte. Ich schämte mich für meinen Verrat am Schild des David.

Von dem, was die Professorin danach über die Thesen des englischen Ökonomen Robert Torrens erzählte, bekam ich wenig mit, da ich mit dem Versuch beschäftigt war, die kognitive Dissonanz aufzuheben, die sich aus Lauras Wirkung auf mich ergab, verbunden mit der Tatsache, dass sie als Nichtjüdin eigentlich gar keine solche auf mich haben durfte.

Was eine kognitive Dissonanz ist, wusste ich von Yossi, einem Jugendfreund, der an derselben uniwersitejt Psychologie studierte: Es handelt sich um die Spannung der Widersprüchlichkeit, wie sie der rojcherer erleidet, der gern rojcht, aber weiß, dass es seiner gesunthajt schadet. Yossi hatte mir auch erklärt, wie diese Dissonanz aufzuheben oder wenigstens auf ein erträgliches Maß zu reduzieren sei: Der rojcherer beispielsweise rede sich immer wieder von neuem ein, rojchern sei gar nicht so ungesund, höchstens ein wenig und auch nicht zwingend in jedem Fall. So könne er wieder eine Weile ohne die störenden Widerspruchsgefühle weiterrojchern.

Auf Laura angewandt, standen mir somit folgende Haltungen zur Auswahl:

1. Laura ist gar nicht so attraktiv.
2. Laura ist gar nicht so unjüdisch.
3. Es ist gar nicht so wichtig, ob eine froj jüdisch ist.

Von all diesen meglechkajtn, sich die Realität zurechtzubiegen, erschien mir die dritte als am wenigsten weit hergeholt. Sie erzeugte aber sogleich eine neue Dissonanz, denn selbst wenn ich mir erfolgreich einzureden vermocht hätte, es sei gar nicht so wichtig, ob eine froj jüdisch sei, so wusste ich doch bereits, wer mir das – nebst G't – sofort und restlos wieder ausreden würde.

So ging das eine Weile in meinem kop hin und her, derweil ich immer wieder blikn in Lauras Richtung warf.

Dann war die Vorlesung vorüber und die Studentenschaft trieb heiter plaudernd dem Ausgang zu, so wie sie sich vorhin hineingedrängt hatte. Ich packte den unbenutzten Notizblock und mein Schreibzeug in meinen Rucksack und sah wehmütig zu, wie Lauras hor-Schopf zwischen all den anderen Köpfen verdämmerte.

Das war, wie schon gesagt, im November gewejn.

Seither erfüllte mich einerseits gehörig gewachsene frejd am Studium und ich besuchte die Vorlesungen wesentlich fleißiger, andererseits florierte dadurch auch meine Dissonanz, denn ich sollte mich ja nicht freuen.

Geschehen war in dieser zajt nichts; ich konnte mich Laura nie auf weniger als finf Meter nähern, was zu gleichen Teilen religiösen Gewissensbissen und meiner Schüchternheit geschuldet war. Die zahlreichen Gelegenheiten, mich mehr oder weniger zufällig neben Laura zu setzen, in der Vorlesung, im Lichthof oder in der Mensa, ließ ich mol um mol wie gelähmt vorüberziehen.

So schmachtete ich eben stumm, geheim und von fern vor mich hin, erzählte keiner Seele von Laura und steckte meine Regungen in den hintersten Winkel meines Bewusstseins, und wenn sie von dort hervorlugten wie ein neugieriges Kind aus seinem Bettchen, so schimpfte ich mit ihnen, sie sollen sich trollen, und sie trollten sich.

Und es wurde Winter und es wurde friling, und ich hatte Laura in dieser zajt häufig gesehen und jedes mol gleich empfunden, mit steigender Entwicklung.

Und jedes mol erklang in mir das gütige Wort von G't und gemahnte mich an die Spielregeln, doch sinnlos; bei der nächsten Begegnung mit diesem Laura-Geschöpf brach ich sie wieder und bewunderte ihren tuches und die köstliche Weise, in der sie ihn bewegte.

Und G't seufzte in mir herum und ich stimmte mit ein, aus ganz anderen Gründen.

Sejer schejn, mein schaz, sejer schejn!

In der Nacht war ich mehrmals erwacht und dachte wild und ratlos über mein lebn nach. Jedes mol war die lewojne in meinem Fenster ein schtik weiter nach rechz oben geklettert und schließlich ganz daraus entschwunden, und als es schon tagte, fiel ich für eine letzte schtunde endlich in einen fiebrigen Traum, in dem meine weinende mame mit mazesknajdlech nach mir warf und Laura mit Kleidungsstücken.

Mir fielen fast die ojgn zu, als ich auf dem Bettrand saß und, wie jeden frimorgn nach dem Erwachen, vor mich hinsprach: »Ich danke dir, lebender König, dass du mir voller Erbarmen meine Seele zurückgegeben hast, denn deine Treue ist groß.«

Erst das rituelle Übergießen der Hände mit waser vermochte mich richtig zu wecken. Mir gefiel dieser kleine und einfache alltägliche Moment der Besinnung, der den Geist für einige sekundn von seinem geschäftigen Geplapper wegführt und auf die eigene Mitte ausrichtet.

Wer bin ich?
Wie geht es mir?
Wohin muss ich?

Diese Fragen blühten auf, wenn das waser aus dem metallenen hant-fass über meine Hände rann; sie lagen in den Händen verborgen und das waser wusch sie von dort heraus und gab die Antworten.

Das waser floss über die rechte hant und sprach: *Du bist Mordechai, Sohn des Volkes Israel.*

Das waser floss über die linke hant und sprach: *Es geht dir gut, denn du bist gesund und jung und trägst die schützende hant des Herrn über dir.*

Das waser hielt kurz inne und floss für einen Moment schwächer aus dem Krug, um dann in einem kräftigen Guss fortzufahren: *Allerdings muss der Herr einräumen, dass deine mame mit einem leichten Hang ins Anstrengende ausgestattet ist; selbst für jüdische Verhältnisse.*

Immerhin, Er sieht's, dachte ich mir, immerhin.

Stumm fragte ich, während ich das waser wieder über die rechte hant goss: *Und wohin muss ich?*

Und das waser sprach, während es erneut dem Erdmittelpunkt zustrebte: *Heute musst du in die schul, wie jeden tog, und morgen musst du deinen Weg gehen.*

Nach draj weiteren Güssen stellte ich den kleinen Krug mit der Inschrift *netilat jadaim* wieder ab und fragte mich verwundert, was denn mein Weg sein solle.

Wie hunderte anderer jidn im selben Moment überall auf der Welt und wie Millionen vor mir in den vergangenen knapp seks-tojsnt jorn trocknete ich meine gesäuberten Hände und war damit bereit, erneut in den Dienst des Schöpfers zu treten.

Schpejter, nach dem frischtik, machte ich mich mit meinen Eltern auf den Weg in die schul. Alle paar Schritte ging eine hojs-tir auf und entließ hipsch zurechtgemachte jidn jeden Alters; vom kleinen Kind bis zum greisen man. Man grüßte sich, schwatzte und lachte, und der fromme Strom von der Uetlibergstraße über die Schimmelstraße hin zur Freigutstraße wurde immer dichter.

Dabei fragte ich mich wieder amol, warum die hojsn der jidn zu kurz sind und ihre jakn-armeln zu lang; und ich blickte an mir herab und sah dasselbe, und ich sah zu meinem Vater hin, der sich einige Schritte hinter uns mit einem Bekannten unterhielt, und dort war es auch so. Bei bejden.

Als wir einen Fußgängerstreifen überquerten, schaute ein wartender Autofahrer etwas seltsam auf die an ihm vorüberziehenden jidn. Meine Mutter bemerkte es ebenfalls.

»Da, a Antisemit!«, rief sie und reckte ihr kin in seine Richtung.

»Wieso ein Antisemit?«, wollte ich wissen.

»Der schaut asoj!«, antwortete meine Mutter.

»Wi: asoj?«, fragte ich.

»Asoj – antisemitisch!«, rief sie. »Und a Horch hat er auch!«, deutete sie im Weitergehen auf die vier Ringe im Kühlergrill.

»Mame, die heißen heute Audi.«

»Natürlich, um die Vergangenheit zu verschleiern!«, schimpfte sie weiter.

Jidn mögen keine deutschen Autos, weswegen die jüdische Familie üblicherweise einen Toyota Previa fährt; eine Fahrzeugklasse, die im englischen Sprachraum als »jew canoe« bezeichnet wird. Wenn Sie das nächste mol einen Previa mit vier frommen jidn darin sehen, der über die Straße schaukelt, und innen schaukeln die Schläfenlocken, dann wissen Sie, weshalb.

Auch wir besaßen einen Previa. Er war weinrot, hatte Baujahr 2000 und stammte, wie alle jüdisch pilotierten Previas in Zürich, von derselben Garage in Wiedikon. Es ist eine jüdische Eigenart, alle Beschaffungen bei jüdischen Händlern zu tätigen: Die briln ist vom jüdischen Optiker, die matraz vom jüdischen Bettwarenhändler und das ojto vom jüdischen Garagisten.

Der Frage, ob diese Dinge von guter Qualität sind, fällt dabei eher geringe Bedeutung zu. Viel wichtiger ist, dass sie bei einem jid gekauft werden. Denn das Judentum ist wie eine Aura; ein unsichtbares und dennoch allgegenwärtiges Licht, an dem wir uns gemeinsam wärmen.

Steht nun also ein bestimmtes Fahrzeug bei einem jüdischen Garagisten, so geht der jüdische Kunde instinktiv davon aus, dass dieses ojto ein in jeder Hinsicht gutes ojto ist, und kauft es. Der Garagist macht ihm dann einen gitn prajs. Das heißt, er schreibt den Wagen mit zehn Prozent mehr an und diskutiert mit dem Kunden so lange hin und her, bis er zehn Prozent Rabatt gegeben hat. Asoj hat man a gitn prajs für bejde.

Der Grund, weshalb nun so viele jidn ausgerechnet den Previa wählen, ist in der ejze zu finden, einer subtilen Mischung aus herzlicher Anteilnahme und besserwisserischem Übergriff. Die jidn geben einander ständig ejzes, tagein, tagaus;

so wie der bojm im Herbst seine Blätter verliert, so streut ein jid seine ejzes. Vermutlich geben alle mentschn einander ejzes, bloß heißen sie anderswo nicht so. Der goj nennt die ejze vermutlich einfach einen »ungefragten Kommentar«. Die jiddische mame gibt also ejzes und die gojische Mutter ungefragte Kommentare; und alle Kinder, die jiddischen und die gojischen, ärgern sich. Die jiddischen Kinder rufen: »Mame, her ojf!«, und die gojischen rufen: »Mutter, hör auf!«, doch die Mütter hören weder ojf noch auf, denn sie sind ejzesgeber von natur ojs.

Eines toges also wollte a jid ein ojto kaufen und er suchte einen jüdischen Garagisten auf. Er bekam a gitn prajs und a neues ojto und er hatte a grojse simche daran: Er fuhr in der Welt herum, von seinem hajm zu seinem gescheft und wieder zurik, und er sang unentwegt, das ojto sei eine mechaje, so komfortabel und praktisch; und er parkte es und sprang heraus und davor herum und machte mit seinem Handy Fotos aus jeder Richtung und sang dazu: »Asoj schejn, mein ojto, wunderlech!«, und er sagte zu jedem jid, den er traf: »Her zi, as di brojchst an ojto, a richtig a gites, geb ich dir an ejze: Kojf dir a Toyota Previa!«

Und die jidn, die das hörten, fragten: »Warum a Previa?«

Und der jid sagte: »Er ist eine mechaje! Und eine mezie! Und er ist bekwejm! Und schejn!«

Und die jidn, sie nickten und zwirbelten dazu ihren bort und gingen hajm zu ihrem wajb und sagten: »Wajb, der Schmulik hat jetzt a Toyota Previa. A sejer gites ojto. Man ken es hubn fir a gitn prajs. Ich werd ojch kojfn a solchen Previa.«

Und das wajb sagte: »Sejer schejn, mein schaz, sejer schejn«, und blätterte weiter in der *Jüdischen Zeitung.*

Der jid schrieb auch zen, zwanzik, drajsik blizbrifn an seine vielen chawejrim. »Chawejrim«, schrieb er, »ich hub a neues ojto, a Previa, der kremer in Wiedikon hat mir gemacht a gitn prajs und das ojto ist eine mechaje, asoj schejn, ich send ajch hier a bild, mit di beste grusn, Schmulik.«

Und weil die jidn nicht nur dem jiddischen Händler glojben, sondern auch dem jid selbst, also auch den Rat aus jiddischem Mund für gute Ware halten, kauften sie alle einen Previa; beim ojto-kremer in Wiedikon.

Asoj es ist gekumen, dass alle jidn in Zürich fahren a Previa.

Mein Vater wollte schon lange einen neuen Previa erstehen. Zwar lief unserer noch einwandfrei, doch sah mein tate keine andere meglechkajt als eine Neuanschaffung, dem Brauch meiner mame beizukommen, unser ojto mit allen möglichen Waren zu beladen; darunter dutzende Papiertragtaschen, die sie für künftige Besorgungen im ojto aufbewahrte, allerdings dann doch jedes mol neu kaufte; waserflaschn verschiedenster Füllhöhen; Postkarten aus Israel und noch nicht abgeschickte Postkarten nach Israel; Plastikdosen mit knajdlech, die meine mame eigentlich zur gehbehinderten Frau Mondschein hatte bringen wollen, aber gern mol eine woch auf dem Armaturenbrett liegen ließ; sowie, gleichmäßig über den gesamten Fahrzeugboden verteilt, kompaktlech mit jiddischer Musik, hauptsächlich klesmer, wobei die meisten Hüllen leer waren und die kompaktlech dazu offen herumlagen, während andere wiederum in den falschen Hüllen steckten. Beim Einsteigen trat man dementsprechend stets auf eine davon, so dass das ojto zusätzlich mit Plastiksplittern übersät war. Und da mein Vater es oft für geschäftliche Fahrten benutzte und dabei Herrn Hagelschlag mitnahm, offerierten die zahlreichen Ablagefächer unseres Previa stets auch etwas Angebissenes, Steinhartes, Koscheres.

Doch zurik zum schabbes-frimorgn.

Der des offenen Antisemitismus überführte Autofahrer guckte immer noch aus seinem Horch heraus, als er losfuhr.

»Ale zejner soln bej im arojsfaln, nur ejner sol im blejbn; ojf zejn-wejtik!«, zischte ihm meine Mutter hinterher. Dass jemand alle Zähne verlieren solle außer einem, den er für Zahnweh behalten möge, war ihre Lieblingsverwünschung. Aber bei weitem nicht die einzige. Sie hatte noch andere Nettigkeiten bei der hant:

»Fardrejen solstu mit di fis!«
»A kramp dir in lajb!«
»Sol dir plazn di gal!«
»A fajer dir in leber!«
»Brechn solstu dem kop!«
»Fefer dir in nos!«
»Salz dir in di ojgn!«

»Wir sehen vielleicht schon etwas speziell aus«, sagte ich zu meiner mame, nachdem ich kurz überlegt hatte, warum man unseren Auftritt merkwürdig finden könnte.

»Wus?«, wirbelte sie zu mir herum. »Bist jetzt auch a Antisemit?«

»Nein, aber schau doch«, sagte ich, »die Hüte, die Bärte, die kurzen hosjn... ich glaube, ich würde auch gucken, wäre ich ein goj.«

Meine Mutter starrte mich an, als wäre ein dibbuk in mich gefahren, ein böser Totengeist, der sein Opfer wirr reden und handeln lässt. Dann beschleunigte sie ihren Schritt, um weiter vorne bei einer grupe von draj frojen anzudocken und sie in ein Gespräch zu verwickeln. Während sie redete, sandten die anderen frojen merkwürdige blikn über mames massige Schulter hinweg zu mir. Vermutlich wurden sie über die misslungene Zermürbungsmission der sibn Schlachtschiffe unterrichtet.

In der Synagoge feierte ein Junge seine bar-mizwe. Er hatte die Gesänge gut eingeübt und trug sie mit schöner, heller schtim vor. Hier und dort machte ihm sein Stimmbruch etwas zu schaffen.

Am Schluss warfen die frojen vom oberen schtok Bonbons auf das glückstrahlende neue Gemeindemitglied herunter. Der Rabbiner sah einige Bonbons lang zu und bat dann mit einer breiten Geste darum, die Würfe einzustellen, hatte aber keinen Erfolg damit. Die Bonbons plockten einfach weiter auf den Holzboden, bis die Werferinnen ihre reichen Munitionsvorräte erschöpft hatten.

Schpejter lud die Familie des Jungen zu einem großzügigen kiddusch. Ausgelassen parlierend drängte sich die Gemeinde um den Tisch mit den Delikatessen und griff zu.

Mit dem Ausruf »Me ken lekn di finger!« füllte sich meine mame einen Pappteller randvoll mit koscheren Häppchen und bahnte sich vor mir einen Weg zum Rand des Raumes. Einige der mikroskopischen Törtchen und Pastetchen purzelten ihr dabei zu Boden.

Ob ich genug genommen hätte, rief sie über ihre Schulter.

Ich bestätigte, ausreichend mit Nahrung versorgt zu sein.

Sie blickte zurik, um sich zu vergewissern, und kam zum Schluss, ich sei ein ligner. Ich müsse noch amol zurik zum Buffet, sagte sie. Da sei noch Platz auf meinem teler.

»Nein«, sagte ich; es reiche mir, was ich genommen hätte.

Sie blieb stehen und ließ mich wissen, ich sei viel zu mager.

»Ich fühle mich gut«, sagte ich.

»Gurnischt«, hob meine mame den tajtfinger, »zu mager!«, und ließ die hant mit dem ausgestreckten Finger in Richtung meiner Rippen kippen.

Ob wir weitergehen könnten, wies ich mit der offenen hant vorwärts, es habe viele lajt hier.

Ich sei a nudnik, schwang die mame nun eine fojst in einem knappen, kraftvollen Bogen nach oben und ließ sie wieder fallen.

A nudnik im Gedränge, drehte ich meine freie hant ergeben zur Seite auf. Auch jene mit dem teler wanderte leicht nach außen.

Eine dicke Dame rempelte mit ihrem grojsn tuches jenen meiner mame an, worauf weitere zwaj Häppchen von deren teler flogen und von dem der dicken Dame auch eines. Sie schmetterte ein »Entschultig mir!«, und die mame sah ein, dass der Platz vor dem Buffet nicht ideal war für eine jiddisch-gestenreiche Unterhaltung.

»Knacker«, knurrte sie und wandte sich um.

Für »knacker« gibt es keine präzise Übersetzung. Man nennt jemanden so, wenn man nichts mehr zu sagen weiß. Es war die höchste Auszeichnung, die einem meine Mutter verleihen konnte. Ich freute mich und folgte ihr bekwejm in der Spur, die sie durch die Menge räumte, zur einen want des Saals.

Nachdem wir dort eine Weile schweigend und schmausend herumgestanden hatten, nickte meine mame plötzlich einer froj auf der anderen Seite des Raumes zu. Diese nickte zurik, stellte ihren Pappteller, der nicht minder prall bepackt worden war, auf einen Tisch und nahm der jungen froj neben ihr, dem Aussehen nach ihre Tochter, den ihren aus der hant, um ihn ebenfalls wegzulegen. Die junge froj schaute sie verwirrt an, da sie gerade einen Bissen hatte nehmen wollen, und wurde von ihrer mame durch den Raum geschoben. In unsere Richtung.

Während ich dies beobachtete, wurde sanft an meinem teler gezerrt. Es war meine mame, die ihren eigenen ebenfalls neben sich auf einem Tisch deponiert hatte.

»Gib den teler her, Motti«, zischte sie.

Ich verstärkte meinen Griff: »Ich bin noch am Essen.«

»Gib den teler her«, sagte meine Mutter.

»Aber ich bin doch zu mager?«

»Du hörst jetzt auf zu essen!«

»Das ergibt keinen Sinn, mame«, sagte ich und nahm meine zweite hant zur Hilfe, um den teler festzuhalten.

Die junge froj wurde immer näher geschoben. Ihr punem trug einen leicht verstörten Ausdruck, derweil ihre mame zutiefst entschlossen dreinblickte.

Meine Mutter lächelte ihnen entgegen, fauchte noch amol, ich solle sofort den teler hergeben, doch ich ließ nicht los; sie zog, ich zog auch, und es ging natürlich um viel mehr als um den blöden teler, das wussten wir bejde.

Schließlich standen die zwaj frojen vor uns und meine mame musste aufgeben.

»Frau Blattgrün!«, rief meine mame lojt und froh.

»Frau Wolkenbruch!«, rief Frau Blattgrün froh und lojt.

»Das ist also Ihre Tochter, die Michèle!«, rief meine Mutter. Sie war keine gute Schauspielerin.

»Das also ist Ihr Sohn, der Motti!«, rief Frau Blattgrün. Auch nicht sejer überzeugend.

Michèle lächelte mich schief an.

»Dann wollen wir die zwaj doch amol allein lassen!«, rief meine Mutter, nahm ihren teler vom Tisch und drückte ihn Michèle in die hant.

»A sejer gute Idee!«, bestätigte Frau Blattgrün. Dann waren die bejden Mütter auch schon zwischen den anderen Gästen der bar-mizwe verschwunden und Michèle und ich standen verlegen voreinander und roboterten Häppchen in uns hinein.

Ich schaute Michèle kurz an, sah dann in die Menge nach rechz, sah Michèle wieder an und dann wieder in die Menge nach links. So gewann ich stückweise ein Bild von ihrem Äußeren: Michèle war ungefähr in meinem Alter, trug einen dunkelblauen rok mit leichtem, hellblauem Pullover über einer weißen Bluse und hatte kluge, freundliche ojgn hinter einer randlosen briln. Ich fand sie weder hipsch noch hässlich und schätzte sie als angenehme Gesellschaft ein.

Michèle unterzog mich ebenfalls einer kurzen Musterung, während sie zwaj kleine Portionen Lachs auf Blätterteig verzehrte. Nachdem sie heruntergeschluckt hatte, fragte sie: »Bist du auch auf einer tour de schidech?«

»Ja«, lachte ich.

»Ich habe diesen Monat schon elf mener kennengelernt«, sagte Michèle.

Ich überlegte kurz: »Und ich najn frojen.«

»Du bist numer zwölf«, sagte Michèle und schob mit dem Finger ihre briln höher auf die nos, »aber leider auch nicht ganz mein Typ.«

»Halb so schlimm«, beruhigte ich sie, »wir fühlen also gleich.« Ich führte ein Käseküchlein zu meinem Mund und Michèle legte ein weiteres schtik Lachs in ihren. Wir grinsten kauend.

Die Unterhaltung stand unter schärfster Beobachtung unserer Mütter.

»Und jetzt?«, fragte Michèle, die es auch gesehen hatte. »Die glauben, ihr schidech klappe, wenn wir uns hier amüsieren.«

»Ich weiß nicht, wie es dir geht«, sagte ich nach kurzem Überlegen, »aber ich könnte gut eine Auszeit vertragen.«

Michèle sah mich unergründlich an, schob wieder ihre briln hoch, die mittlerweile wieder heruntergerutscht sein musste, und schaute dann zu ihrer Mutter hinüber, die uns ihrerseits in einer bemerkenswerten Mixtur aus Ermunterung und Verwarnung fixierte, sekundiert von meiner mame.

Dann sagte sie mid: »Ich auch, Herr Wolkenbruch.«

Wir kamen überein, gegenüber unseren Müttern für den Moment so zu tun, als hätten wir ehrlich Gefallen aneinander gefunden. Unsere numern tauschten wir nicht aus; im besten Wissen darum, dass dies längst für uns erledigt worden war.

Dass ich endlich einer ihrer Kandidatinnen gewogen war, versetzte meine Mutter in höchste Ekstase. Sie quietschte und sprang in die Luft, als ich ihre Frage, wie mir die Michèle gefalle, mit den Worten »Ganz gut« beantwortete.

Auf dem Heimweg quoll das glik nur so aus ihr heraus; was für eine wunderbare chassene das geben würde mit der Michèle und mir, und vor allem was für hipsche ejniklech, mache die Michèle doch einen ausgesprochen fruchperdigen Eindruck!

Sie redete schnell und lojt und veruntreute zahlreiche Silben. Ich ging mit meinem tate neben ihr her und sagte nicht viel; hier ein »Ja« und dort ein »Vielleicht« und da ein »Mol sehen«.

Meine mame meinte, hier gebe es kein Vielleicht und schon gar kein mol sehen! Sie freute sich, dass ich doch noch eine farnuftigkajt angenommen habe, und strich ihre einzigartige tichtigkajt bezüglich der schidech-Organisation heraus. Zuletzt ging sie dazu über, schon amol die Gästeliste zusammenzustellen, und zog mich, lauter jüdische Namen tanzend, hajmwärts.

Ich beobachtete, wie sich meine mame in einen kuriosen Rausch hineinfeierte, und es ereilten mich zwajfl, ob der angeblich gelungene schidech wirklich eine gute Idee gewejn war. Offenbar herrschte im Gehirn meiner Mutter ein permanenter Kurzschluss; egal wie man die Kabel auch immer legte.

SIE SIND ZUKER-SIS, DIE BILDER, ZUKER-SIS!

Ein schriller Gesang stieß mich aus dem schluf. Er stammte von meiner Mutter, die an meinem bet stand und meinen Namen rief.

»Motti! Motti!«

Ich öffnete die ojgn und erblickte vor meiner nos mein wackelndes Handy.

Nun wechselte der Gesang zu einem anderen Namen. Muschel? War etwas mit der Hörermuschel?

Dann verstand ich: Michèle. Die Michèle sei dran, sang meine Mutter fröhlich.

Ich warf einen blik auf den Wecker neben meinem bet. Es war sibn Uhr finfunfirzik. »Die Michèle!«, kündigte meine mame erneut an und wies mit der einen hant in einem fort auf das Telefon in der anderen. Ich setzte mich auf und nahm den Apparat entgegen, obwohl ich meine Hände noch nicht gewaschen hatte. Das schien meiner Mutter in diesem Moment gleichgültig zu sein; der Kontakt zwischen mir und Michèle war für sie offensichtlich ein noch heiligerer Vorgang als das morgendliche Händewaschen.

Erst räusperte ich mich, dann sagte ich Hallo.

Michèle klang sejer mid. Vermutlich war sie auch eben gerade geweckt worden.

Meine Mutter hatte derweil auf meinem Bett rand Platz genommen, von wo aus sie mich unternehmungslustig anstrahlte.

Ich wedelte mit der hant in ihre Richtung, mir etwas Privatsphäre erhoffend, was allerdings ohne jede Wirkung blieb; die mame strahlte weiter. Ich gab auf und wünschte Michèle a gitn tog, was sie erwiderte. Dann sagte ich nichts mehr, da ich ja angerufen, oder besser: da mir ja ein Telefon mit offener Leitung ins punem gehalten worden war, und nach einer Pause fragte mich Michèle, was ich heute vorhätte.

Ich wolle lernen, sagte ich.

Meine Mutter schlug mir ärgerlich auf den Oberschenkel, was die Bettdecke fast vollständig absorbierte, und wollte mir das Telefon wegnehmen, um dem Gespräch eine günstigere Wendung zu verleihen. Ich wehrte den Angriff ab und sprach weiter: »Aber wir können uns gern am Nachmittag auf einen Spaziergang treffen.«

Das besänftigte die mame, sie legte die Hände zurik in den Schoß und lächelte wieder.

Im Hörer vernahm ich das Getuschel zweier frojen; eines deutlicher, das von Michèle, eines unverständlich, im Hintergrund.

»Treffen wir uns am unteren Eingang zum Rieterpark?«, schlug Michèle schließlich wieder mit normaler schtim vor.

Das war mir recht.

»Um draj?«, fragte sie, nachdem an ihrem Ende abermals eine leise, kurze und heftige Diskussion geführt worden war.

Auch das war mir recht.

Wir verabschiedeten uns.

»Und, und, und?«, fragte meine Mutter, als würde die Ankunftszeit des Gesalbten publiziert.

»Wir treffen uns um draj«, sagte ich.

»Wo?«

»Im Rieterpark.«

Meine mame lächelte, erhob sich und sagte beim Verlassen meines zimers die bejden Angaben immer wieder auf: »Um draj im Rieterpark, um draj im Rieterpark.«

Das kam mir nun doch etwas verdächtig vor und ich schrieb Michèle, deren numer ich ja nun besaß, ein SMS, ob sie auch den Verdacht habe, wir würden bei unserem Treffen überwacht werden.

Sie antwortete sogleich; Ort und zajt seien ihr so diktiert worden. Auch sie vermute deshalb Kontrollabsichten.

Wir vereinbarten einen neuen Treffpunkt: auf dem Lindenhof beim Brunnen. Bei draj Uhr würde es bleiben.

Nachdem ich mich gewaschen und mein Morgengebet gesprochen hatte, kleidete ich mich an und setzte mich an den frischtik-Tisch.

»Der Motti trifft heute die Michèle«, sagte meine mame zu meinem tate, der in der *Jüdischen Zeitung* las. Er brummte in einer zustimmenden Weise, wobei nicht klar war, ob dies meinem Treffen oder dem Text galt, den er gerade las. Das Lesen war bei ihm stets mit Brummen verbunden; es gab das affirmative Brummen für erfreuliche Nachrichten, das empörte für bestürzende und eine Art Leerlaufbrummen, das seine Regung offenließ und manchmal auch nur das Umblättern begleitete.

»Heute um draj«, rief die mame und goss mir Milch ein, nachdem ich ihre Frage, ob ich Milch wolle, verneint hatte.

»Im Rieterpark«, rief sie hintendrein.

Nebech, dachte ich mir und lachte ein wenig in mich hinein; gerade so viel, wie das lebn mir Späße über meine mame erlaubte, vor allem wie meine Mutter sie mir erlaubte. Es war ein schmaler Spalt, in welchen diese Späße hineinpassten.

Mein Vater brummte; meiner Meinung nach das Leerlaufbrummen. Die mame deutete es allerdings als Teilnahme an ihrer Ekstase und verschüttete beim Schöpfen vor lauter frejd das halbe Rührei.

Es war das groteske frischtik einer jüdischen Familie, die wohl am Tische vereint war, mental jedoch in alle Richtungen auseinanderstrebte: Meine Mutter sah sich mit ihren Volldampfgefühlen schon an meiner chassene eintreffen; ich freute mich, auf den Lindenhof zu einer Leidensgenossin flüchten zu können, nicht minder im Galopp, und mein Vater, der Schlagzeile auf der *Jüdischen Zeitung* nach zu urteilen, inspizierte gerade das Raketenfrühwarnsystem in Sderot.

Ich zog mich in mein zimer zurik und las noch etwas in *Economics: An Introductory Analysis* von Paul A. Samuelson. Als ich das bichl in die hant nahm, überlegte ich, dass meine mame, Judith Wolkenbruch, geborene Eisengeist, ähnliche Erfolge mit *Marriage Match: An Introductory Manipulation* feiern könnte.

Als der St. Peter draj mol seine glok schlug, stimmte einen Wimpernschlag schpejter die Predigerkirche in das altehrwürdige Geläut ein. Durch meine Schritte auf dem Kies des

Lindenhofes fand es seine historisch passende Untermalung.

Schon von weitem erkannte ich Michèle, die vom gegenüberliegenden Zugang her ebenfalls den großen Brunnen anzielte. Im dunkelroten rok und einer rosa schtrik-jak mit weißer Mütze winkte sie mir zu. Ich winkte zurik und wenige Schritte darauf standen wir voreinander. Michèle schob schon wieder ihre briln hoch.

»Setzen wir uns?«, fragte sie und wies zu einer Bank in der Nähe.

Ich nickte und wir knirschten hin.

Nachdem wir Platz genommen hatten, grinste Michèle: »Genau jetzt fragen sich unsere Mütter, wo wir wohl bleiben.«

»Sie können aber nicht uns fragen, sonst verraten sie sich«, sagte ich.

Wie sich kurz darauf herausstellte, störte das meine mame allerdings überhaupt nicht. Sie rief mich an und sprudelte los: »Motti! Wo bist du? Du bist nicht im Rieterpark! Ich mache mir sorgn!«

»Woher weißt du das?«, fragte ich.

»Ich bin gerade zufällig hier vorbeigekommen; weißt du, ich wollte Frau Tischbein mein knajdl-Rezept bringen und da dachte ich, ich gehe hier durch, aber du bist nicht hier! Wo bist du? Wo seid ihr?«

Michèle sah mich beunruhigt an. Ich machte alarmierte und enervierte Handzeichen.

»Michèle und ich haben uns spontan entschieden, zum See hinunterzugehen, weil heute so ein schejner tog ist.«

»Ja«, bestätigte meine mame, »heute ist es sejer schejn.«
Ich sagte nichts.

»Übrigens! Ich habe hier im Rieterpark Frau Blattgrün
getroffen! So lustig!«

Sie schien überhaupt nichts Ungewöhnliches daran zu
finden, mir nachzuspionieren, zumal auf diese dilettanten-
haft verhüllte Weise.

»Ja, lustig«, sagte ich.

In diesem Moment klingelte Michèles Handy und sie begann, das gleiche Gespräch zu führen wie ich gerade eben.

»Wo seid ihr denn nun?«, wollte meine mame wissen.

»Am Limmatquai am Spazieren«, sagte ich und schaute
Michèle an, und sie teilte ihrer Mutter kurz darauf das Gleiche mit.

Es gelang uns, in dieser Ungenauigkeit zu verbleiben,
wodurch wir hofenung hegen durften, unseren Verfolge-
rinnen zu entkommen. Und gelogen war es auch nicht unbedingt.

Erschöpft beendeten Michèle und ich unsere jeweiligen
Telefonate.

»Ich bin nicht sicher, ob unsere Idee so gut war«, gab sie
zu bedenken. Ich pflichtete ihr bei.

Am himl schickte der verendende Winter eine dicke wolkn
in die längst verlorene Schlacht gegen den friling. Sie wurde
sogleich von der sun aufgerissen.

»Wie hältst du es aus?«, wollte Michèle von mir wissen.

»Keine Ahnung«, zuckte ich mit den Schultern, »ich
spiele mit und kneife, wo ich kann.«

Michèle sah mich einen Moment lang von der Seite an und sagte dann: »Eigentlich schade, dass nichts aus uns wird.«

»Ja, schade«, sagte ich. »Aber wenigstens bin ich nicht allein mit diesem schidech-Terror.«

Michèle lachte und mutmaßte, es fiele wohl auf jede jüdische Mutter mindestens ein Kind, dem es so ergehe wie uns. Dann machte sie sich wieder an ihrer briln zu schaffen.

»Ah, da seid ihr ja!«, vernahm ich plötzlich hinter mir die lojte schtim meiner mame.

Michèle und ich drehten uns derschrokn um.

»Ich dachte mir schon, dass ihr hier seid, es ist ja so schejn hier«, wackelte meine mame näher, ließ sich schnaufend neben mir nieder und beugte sich über mich hinüber, um Michèle zu begrüßen: »Frau Blattgrün, grüezi!«

Sie erdrückte mich dabei fast und ihr hant-bajtl wölbte sich schmerzhaft in meine Rippen.

»So ein lustiger Zufall«, freute sie sich, während ich nach otem rang, »so ein lustiger Zufall.«

Michèle und ich sagten nichts, sondern studierten angestrengt zwaj Spatzen, die vor unseren fis hintereinander herhüpften.

Für eine lange minut saßen wir zu dritt da, meine Mutter immer noch schwer atmend.

»Ich habe noch Ihre mame getroffen, Frau Blattgrün!«, freute sich meine mame und beugte sich wieder über mich. »Im Rieterpark!«

Dann setzte sie sich wieder gerade hin und summte ein Lied.

Michèle rückte ihre briln zurecht und ich holte mein nostichl hervor, um sinnlos und trocken hineinzuschneuzen.

Meine Mutter kramte nun auch in ihrer Tasche und beförderte einen kleinen Stapel Fotografien ans toges-Licht.

»Ich habe hier übrigens noch ein paar Bilder vom Motti, wollen Sie amol sehen?«

»Mame –«, hob ich zu schwächlicher Gegenwehr an.

»Schwajg, jing!«, beugte sich meine Mutter wieder über mich und streckte Michèle den Stapel hin. Michèle sah ihn an, blickte dann zu meiner mame, dann zu mir, dann wieder auf die Fotos, dann wieder zu mir. Hilflos.

»Nu, nehmen Sie schon, sie sind zuker-sis, die Bilder, zuker-sis!«, rief die Mutter und wedelte mit den Fotos.

»Mame«, stöhnte ich und drückte ihren Oberkörper weg von mir.

Michèle nahm die Bilder schließlich entgegen, da meine Mutter ganz offensichtlich entschlossen war, in dieser Stellung zu verharren.

Die Fotos zeigten mich als kleinen Jungen mit einer grojsn briln und einer lustigen jarmelke in bunten farbn, mit langen, hellblonden horn und auf einem roten Kindervelo. Auf einigen trug ich eine merkwürdige Latzhose aus Plüsch, auf anderen gar nichts. Man sah deutlich meinen beschnittenen potz.

Michèle machte einen irritierten Eindruck und blätterte den Stapel schnell durch, um ihn bald zurikzureichen.

Obwohl ich meine mame eigentlich für unfähig hielt, irgendwelche Vorgänge außerhalb ihrer selbst überhaupt zu registrieren, empfand selbst sie die Situation nun langsam als etwas extravagant, denn sie schlug als Nächstes vor, wir sollten nach Hause gehen.

Ich wolle noch etwas hier sitzen, sagte ich.

»Gurnischt, wir gehen jetzt ahajm«, sagte meine Mutter und packte die Fotos wieder in ihren hant-bajtl.

Ich wolle aber noch *mit Michèle* hier sitzen, verdeutlichte ich.

In dieser Form hingegen war der Satz meiner mame anscheinend recht, denn nun verabschiedete sie sich mit den Worten, sie wolle nicht weiter stören, was sie mit kordialer Ironie vortrug; als gehörte sie zu den mentschn, die noch nie jemanden gestört haben.

Zwinkernd ließ sie Michèle wissen, sie sei eine schejnkajt und sie habe sie bereits tief in ihr harz geschlossen. Dann entfernte sie sich wallend und mit ihr der Duft ihres auch nicht unbedingt leichten Parfums.

»Deine Mutter sollte für den Mossad arbeiten«, befand Michèle schließlich.

Angesichts der Sachlage kamen wir überein, die Operation schidech wieder abzubrechen, einander aber weiterhin Stütze und Licht zu sein in diesen dunklen, schweren zajtn des jüdischen Heranwachsens.

Der St. Peter schlug vier mol und die Predigerkirche machte mit.

HERR WOLKENBRUCH, MACHEN SIE NICHT EIN SOLCHES PUNEM!

Knospende Linden, erste Tische vor den Cafés, geschulterte Jacketts und gut besetzte Parkbänke kündeten davon, dass der friling in der schtot angekommen war. Aus dem Fenster der tramwaj heraus, das von einem kurzen Regenguss am frimorgn noch nass war, beobachtete ich verwundert, wie das lebn abermals erwachte. Ich befand mich auf dem Weg zu Frau Silberzweig, einer liberalen Jüdin, bald achzikjährig, verwitwet, kinderlos und steinreich, die uns kontaktiert hatte, damit wir ihren Nachlass regelten. Gelegentlich übernahm unsere farsicherung auch treuhänderische Aufgaben, und so begab ich mich an die Rieterstraße im Enge-Quartier, wo ebenfalls viele jidn ihr hajm haben.

Am frimorgn war ich an der uniwersitejt gewejn und hatte mich draj Vorlesungsstunden lang an Lauras Anblick gewärmt; wie sie mit einer hor-Strähne spielte, wie sie beim Zuhören sanft auf ihren Bleistift biss und sich zwischendurch streckte.

Währenddessen trat ich, wie so oft in letzter zajt, der kognitiven Dissonanz entgegen, indem ich die Dinge in Balance zu rücken versuchte: So verglich ich den Umstand, dass Laura nicht jüdisch war, mit einem unüberwindlichen Bergmassiv und die Phantasien, die sie in mir hervorrief, mit losen, rasch hinfortziehenden Wölklein. Doch es dauerte jeweils nicht lange und die bejden Bilder tauschten die Plätze; und nicht Lauras Anziehungskraft erschien mir problematisch, sondern die Spröde meines Lebens.

Ohnehin büßte die jiddischkajt für mich in diesen teg ein kleines schtik ihres feierlich tragenden Wesens ein; ehrlich gesprochen empfand ich vielerlei gar als ein Korsett…

Da erzählte mir meine mame schon wieder von einer froj, die sie mir unbedingt vorstellen müsse, und ich dachte: Stell mir den tuches nur vor, ist doch einerlei…

Da betrieb die Kundschaft der Wolkenbruch Versicherung an unserem Sitzungstisch beinahe täglich Mischpuchologie, debattierte also uferlos darüber, über wie viele Ecken ihre mischpuche mit unserer verbunden sei, und ich dachte: Redet nur, sind ja ohnedies alle miteinander verwandt…

Da wurde auf dem Weg in die Synagoge der neuste trik weitergegeben, wie man am schabbes den Mikrowellenherd unter Umgehung der mizwojs betreiben könne, und ich dachte: Freunde, schaltet das Ding doch einfach ein, wenn ihr es einschalten wollt, was macht ihr für ein ofis draus –

Usw.

Es wird viele jidn geben, die solche Worte als unjüdisch bezeichnen würden, ja als ekelhaften Verrat an G't, denn in ihren ojgn sind diese Dinge alles andere als egal, sondern sie bilden die Grundlage der jiddischkajt und damit des Lebens. A frumer jid kennt keinerlei Wahl zur jiddischkajt; er sagt nicht zu seiner froj: »Mein schaz, lass uns doch heute Abend amol trejfe essen«, und schafft dann eine saftike Speckschwarte herbei.

Vielmehr wandelt der jid sein ganzes lebn lang auf einem scharf gezogenen Pfad; er wird geboren und beschnitten, besucht den jüdischen Kindergarten, wird bar-mizwe, hält jeden frajtik-uwnt ein schabbes-Essen ab und geht in die schul; er feiert roscheschone, jom-kiper, sukes, chanike und pajsech, lässt sich von der mame frojen vorsetzen, sagt irgendwann erschöpft zu einer Ja, führt sie unter die chuppe, macht mit ihr viele kleine jidn, feiert eines fernen, leisen toges seine letzte chanike, wird wenig schpejter von seiner mischpuche zu Grabe getragen und erhält ein jor darauf einen stolzen Stein, auf welchem nicht nur sein Name steht, sondern auch jener seines Vaters, und schließlich findet sich darauf noch die Abkürzung eines Verses aus dem ersten Buch Samuel, wo es heißt: »Möge seine Seele eingebündelt sein im Bündel des ewigen Lebens«; und seine Seele wird eingebündelt.

Asoj ist der Fahrplan. Und es gibt nichts, was den jid veranlassen würde, diesen Pfad zu verlassen zugunsten von einem, den er plötzlich selbst zeichnen würde. Denn es ist der Schöpfer, der die Lebenswege bestimmt, und nicht das Geschöpf.

Allein, ich stellte fest, dass ich auf meinem Weg immer wieder stehen blieb, weit in mein noch nicht gelebtes lebn hinausblickte und mich fragte, ob diese Richtung denn auch die Richtung meines Herzens sei.

Und jeden frimorgn wieder rann das waser über meine Hände und gemahnte: *Gehe deinen Weg. Gehe deinen Weg.*

Danach band ich mir die tefilin um und versenkte mich

ins Gebet. Dabei wurde ich jedoch immer wieder von der Überlegung abgelenkt, dass das waser nicht meinte, ich solle weiterhin gefügsam tun, was von mir verlangt wurde, sondern etwas ganz anderes.

»Schalom, Herr Wolkenbruch!«, freute sich Frau Silberzweig an der tir. Sie war perfekt frisiert und geschminkt und trug ein moosgrünes Deuxpièces sowie ein geschätztes Pfund Goldschmuck. Wie immer hielt sie elegant einen glimmenden papiros zwischen den Fingern.

»Schalom, Frau Silberzweig!«, freute ich mich auch. Wir hatten uns stets gut verstanden.

Die alte Dame bat mich freundlich herein.

»A glejsel tej?«, fragte sie, nachdem sie mich in ihr Wohnzimmer geführt hatte. Ich nahm das Angebot dankend an und Frau Silberzweig verschwand feenhaft in der kich. Während es von dort zart schepperte, sah ich mich im Raum um, den einige alte, dunkle Holzmöbel, mit schneeweißen Stickdeckchen beziert, ein riesiger want-schpigl mit Blattgoldrahmen und all die von unserer Agentur versicherten Werke namhafter kinstler schmückten. Von der Decke spendete ein gewaltiger Lüster festliches Licht. Zahlreiche Aschenbecher aus diversen Epochen standen herum; direkt neben mir fand sich ein Stehmodell, das ich trotz meiner eher bescheidenen kunstgeschichtlichen Bildung eindeutig dem Art déco zuordnen konnte.

Mit kleinen Schritten trug Frau Silberzweig ein Tablett herein. Das Geschirr darauf war alt und teuer. Es gab sogar eine hipsche Zuckerdose mit einer Würfelzange.

Beinahe rituell tischte die alte Dame den tej auf. Als ich

ihr dabei zur hant gehen wollte, rief sie lojt: »Fort, fort!«, und ich zog meine Finger derschrokn zurik.

Schließlich saßen wir bejde am Tisch, jeder eine Tasse vor sich, und Frau Silberzweig hatte sich einen neuen papiros angezündet.

»Nu, Herr Wolkenbruch«, stieß sie den rojch aus.

»Nu, Frau Silberzweig«, lächelte ich.

»Sieht so aus, als würde mich der Plunder da überleben«, sagte sie und schrieb mit der Zigarette eine Bewegung durch den Raum, einen rojch-krajs produzierend, der sich sogleich wieder auflöste.

Ich sagte nichts.

»Ich habe viel gelt, Herr Wolkenbruch«, sagte sie.

Ich sagte nichts.

»Was soll ich damit machen?«, fragte sie.

»Viele Leute spenden für Israel«, antwortete ich, nachdem ich den tej-bajtl über der Tasse ausgepresst und in die dafür bereitstehende kleine Porzellanschale gelegt hatte.

»Ich werde einen Teil für Israel spenden«, sagte Frau Silberzweig ein wenig gelangweilt.

»Haben Sie eine Vorstellung in welcher Form?«, fragte ich und beugte mich zu meinem Aktenkoffer hinunter, um Notizpapier und Kugelschreiber herauszuholen.

»Ich möchte einen Krankenwagen spenden.«

»Das machen viele«, sagte ich in meinen Koffer hinein, schloss den Deckel und kam wieder hoch, »das empfinde ich als schöne Geste.«

»Da darf man ja etwas draufschreiben, nicht wahr?«, sagte Frau Silberzweig.

»Ja, der Spender wird auf dem Fahrzeug erwähnt«, bestätigte ich. »Schreiben wir… *Presented to the people of Israel by the late Mrs Silberzweig, Zurich?*«

»Das ist langweilig.«

Damit hatte sie eigentlich recht, fand ich und fragte darum: »Was möchten Sie denn schreiben?«

Frau Silberzweig überlegte und zog langsam an ihrem papiros. Sie sah dabei aus dem blitzblanken Fenster hinaus, wo die karsch blühte.

Schließlich lächelte sie und antwortete: »Wir schreiben: *Diese Ambulanz nützt mir jetzt auch nichts mehr, aber vielleicht Ihnen.*«

Ich hielt den Kugelschreiber parat, zögerte aber.

»Nu, schreiben Sie schon!«, forderte sie mich in bester Laune auf.

Ich schrieb es auf.

»Was heißt das auf Englisch?«, fragte meine Klientin.

»*This ambulance is of no use to me anymore, but maybe to you*«, übersetzte ich nach kurzem Nachdenken.

»Das ist sejer git, das machen wir so«, entschied Frau Silberzweig, drückte ihren papiros aus und schenkte uns tej nach.

»Ein solches Fahrzeug kommt auf ungefähr hunderttojsnt Dollar zu stehen«, warf ich ein.

»Dann spende ich zehn davon«, setzte sie sich wieder hin.

Ich schrieb ungerührt *10 St.* unter die ungewöhnliche Fahrzeugbeschriftung.

»Was könnte ich noch spenden?«, fragte Frau Silberzweig.

»Es gibt viele arme Kinder in Israel«, bemerkte ich.

»Sejer git. Wir machen ein Kinderhilfswerk. Das Hilfswerk Silberzweig. Kennen Sie sich mit so was aus?«

»Wir gründen und führen auch Stiftungen, ja. Mein tate hat darin Erfahrung.«

»Dann sehen Sie zu, dass viele jiddische Kinder zu essen haben und Ihre Bemühungen entschädigt sind, Herr Wolkenbruch.«

»Ich werde Ihnen ein Konzept ausarbeiten.«

»Konzept, Schmonzept!«, rief Frau Silberzweig. »Sehe ich so aus, als hätte ich noch zajt für Ihre Unterlagen? Oder Lust darauf?«

Ich musste zugeben, dass bejdes nicht der Fall war, sagte aber nichts.

Es entstand eine Pause. Ich unterstrich unnötig einige Wörter auf meinem Notizblock, während Frau Silberzweig abermals eine Zigarette entflammte. Mittlerweile stand der Qualm dicht im Raum.

»Und was machen wir mit Ihnen, Herr Wolkenbruch?«, fragte Frau Silberzweig schließlich.

»Was meinen Sie?«

»Sie sind a simpatischer junger man. Haben Sie kein mejdl?«

»Nein, noch nicht«, sprach ich in Richtung meines Notizblocks.

»Oj wej«, sagte Frau Silberzweig betroffen. Dann erhellte sich ihr altes punem und sie fragte: »Kennen Sie die Lenormand-kortn, Herr Wolkenbruch?«

»Nein.«

»Marie-Anne Lenormand hat sie im 18. Jahrhundert entworfen. Sie konnte daraus treffende Voraussagen lesen und kam dadurch zu hohem Ansehen.«

Zu diesen Worten hatte sich Frau Silberzweig erhoben und eine schuflod in der Kommode hinter sich aufgezogen. Daraus holte sie ein kleines Päckchen hervor, das mit einem Seidentuch umwickelt war. Sie brachte es zurik zum Tisch, legte es hin, ging zum Fenster und zog die Vorhänge. Dann brachte sie mit ihrem onzinder einige lichtlech zum Brennen und setzte sich wieder an den Tisch, wo sie ihre Armreife abstreifte. Das Kerzenlicht machte die alte Dame ein gutes schtik jünger und die schtimung auf ein mol sejer misteries.

Frau Silberzweig entfaltete das dunkelblaue Seidentuch und legte einen Stapel abgegriffener kortn frei. Routiniert begann sie zu mischen; nicht ohne zuvor eine neue Zigarette aus ihrem metallenen Etui geholt und zusammen mit dem onzinder neben ihren Schmuck gelegt zu haben.

»Für viele Leute sind Weissagungen Humbug; manche würden darin sogar eine Lästerung gegenüber dem ojberschten in himl sehen«, sagte Frau Silberzweig und unterbrach das Mischen, um mit der einen hant zur Zimmerdecke zu deuten. »Aber die Zusammenhänge des Lebens bilden sich überall ab, ob man daran glaubt oder nicht; in den schtern, im Vogelflug, in den Bäumen... und eben in den kortn.«

Deren regelmäßiges, feines Scheuern erfasste mein harz als sonderbare Erregung.

»Es geht auch nicht darum«, fuhr Frau Silberzweig fort, »die Zukunft zu sehen, sondern die Gegenwart, die unsichtbaren Teile der Gegenwart, in denen das Künftige angelegt ist.«

Ich verstand nicht genau, was sie meinte, war aber sejer fasziniert.

Dann rief Frau Silberzweig, während sie weitermischte, in den Raum: »Warum hat Mordechai Wolkenbruch noch keine froj gefunden!«

Ich erschrak ein wenig. Sie rief es noch zwaj mol. Dann legte sie alle kortn verdeckt vor sich aus, vier Reihen mit je najn kortn, und drehte alle um, wobei sie bedeutungsschwangere Laute von sich gab. Ich rechnete gleichzeitig mit Reichtum, Weltreise und tojt.

Nachdem all die geheimnisvollen Bildchen vor ihr lagen, sagte Frau Silberzweig trocken: »Aha«, und setzte die bereitliegende Zigarette in Brand. Dann wies sie mit ihrem rot lackierten tajtfinger auf eine kort auf der rechten Seite. Es war ein man, der aussah wie ein Pirat.

»Das sind Sie«, sagte Frau Silberzweig, »die Hauptperson. Und hier vor Ihnen liegen der Berg, der Sarg, die Störche und die Lilien. Und da über Ihnen haben wir das Kind und das Buch. Und unter Ihnen das Kreuz. Und hinter Ihnen die Dame und die Eulen und den Turm.«

»Und was heißt das alles?«, fragte ich, verzagt auf das Blatt schauend.

Frau Silberzweig machte eine herrische hant-Bewegung, die mir klarmachte, dass umgeduld hier nichts verloren hatte. Sie studierte das kortn-bild und rojcherte.

»Nu, Herr Wolkenbruch«, sagte Frau Silberzweig dann, »Sie sagten zwar, Sie hätten kein mejdl – aber in Ihren Gedanken ist eines.« Sie legte ihren Finger auf die kort mit dem Kind.

Ein heißer wint fuhr in meine Wirbelsäule.

»Ein schicksalhaftes bagegenisch ist das. Das wird auch noch zu näherem Kontakt führen, wenn Sie verstehen, was ich meine.« Dazu tippte sie auf das Buch und die Lilien.

»Ah«, sagte ich.

»Und hier sehen wir auch Ihre mame, mit der Sie Ärger haben... Sie fühlen sich gefangen... der weitere Weg birgt Schwierigkeiten... und Krankheit.«

Sie schob die kortn wieder zusammen. Dann lächelte sie mich an: »Was sagen Sie dazu?«

Ich schaute sie nur an und wusste nichts zu entgegnen. Um dies zu verdeutlichen, hob ich die Augenbrauen, schob die unterschte lip a bisl vor und drehte meine Hände nach außen.

»Jingele«, sagte Frau Silberzweig zärtlich und belustigt, »da warten spannende zajtn auf Sie! Oder auch nicht. Wer weiß schon, ob das Zeug da stimmt. Heißt zwar ›treferaj‹, aber ob es auch trifft...«

»Was bedeutet: Krankheit?«, wollte ich wissen.

»Das kann eine körperliche Krankheit bedeuten, aber auch eine des Herzens.«

»Und die Schwierigkeiten?«

»Die kenne ich doch nicht. Aber hier liegt Ihre Mutter und da liegt ein schicksalhaftes bagegenisch mit einer jungen froj – ich nehme an, es ist kein schidech.«

Sie lachte fröhlich.

Ich versuchte es auch.

»Herr Wolkenbruch, machen Sie nicht ein solches punem! Es kommt alles gut. Es kommt immer alles gut. Kann ich Sie so gejn lassen?«

»Ich glaube schon«, sagte ich.

»Dann gehen Sie und leben Sie. Und besuchen Sie mich wieder mol.«

Ich verließ die Wohnung einigermaßen verstört.

De cholere sol sej chapn!

Umständlich parkte meine Mutter unseren Previa seitwärts ein. Sie benötigte dafür mehrere Anläufe, von leisen, aber umso wüsteren Flüchen an die adres der bejden Autohalter vor und hinter ihr begleitet. »Schmok, ochor, schmok«, flüsterte sie und kurbelte dabei wild am Lenkrad. Irgendwann stimmte es dann.

Wir besuchten meine bubbe und meinen sajde im jüdischen Altersheim. Der sajde litt an Demenz. Sein Gedächtnis war bereits stark zersetzt, doch daran, dass er früher beruflich als schofer morgens jüdische Schulkinder und am Nachmittag jüdische Geschäftsleute herumgefahren hatte, erinnerte er sich noch bestens. So befragte er ständig Umstehende, wohin er sie fahren dürfe, und verlangte wenige minutn darauf die Begleichung der Beförderungskosten. Legte man ihm dann nicht einige Münzen in die hant, konnte es durchaus vorkommen, dass er den Nächsten am kolner packte und der Prellerei bezichtigte.

Erstaunlicherweise war er trotz aller Umnachtung immer noch in der Lage, die schnellste Route zwischen zwaj beliebigen adresn zu beschreiben, auch wenn sie weit auseinanderlagen. Meist saß er aber einfach nur da und fixierte einen Punkt.

Die bubbe hingegen hörte zwar nicht mehr richtig, war

aber noch recht klar im kop (abgesehen von den personellen Verwechslungen hier und dort) und immer noch eine Meisterin der jüdischen Manipulationskünste: Musste meine Mutter aufwendigste Ränkespiele drechseln, um ihre Umgebung gefügig zu machen, genügte meiner Großmutter ein kaum merkliches Schulterzucken oder eine minimal wegwischende Geste, um sämtlichen Personen im Umkreis von finfzik Metern eine Jahresdosis schlechtes Gewissen zu verpassen. Auch in Sachen Starrsinn stellte sie sich weit über alles Vergleichbare. Manchmal sagte mein Vater über seine Schwiegermutter, sie sei dermaßen farakschnt, sie habe früher vermutlich als israelischer Armeebulldozer gearbeitet.

Drajunnajnzik jorn alt war die bubbe. In körperlicher Hinsicht wäre ihre schtunde schon längst gekommen, doch offenbar hatte der Tod sie bislang noch nicht so recht vom Ende ihrer Erdenzeit überzeugen können.

»Guten Abend, Frau Eisengeist«, grüßte der Tod, als er zum wiederholten mol in ihrem zimer erschien.

»Sie schon wieder«, krächzte meine Großmutter, nachdem sie kurz aus ihrem Fauteuil hochgeblickt hatte. Sie hielt sich seit Jahrzehnten in diesem Möbelstück auf und hatte ein paar jorn zuvor beim Umzug ins Altersheim energisch gefordert, der Fauteuil müsse mitkommen, denn sie werde für alle ejbigkajtn darin sitzen bleiben. Niemand zweifelte auch nur eine sekund daran. Es wurde sogar mit jedem tog wahrscheinlicher.

»Es ist Zeit, Frau Eisengeist«, sagte der Tod bestimmt. Er wollte diese Geschichte jetzt vom Tisch haben.

»Ää!«, machte meine Großmutter ärgerlich und ließ ihre hant flink zur Seite fliegen.

Der Tod zuckte zusammen und fühlte sich sofort furchtbar schlecht. Meine Güte, dachte er, was machst du da bloß; reißt einfach eine alte Frau aus dem Leben, das ist ja grausam...

Dann fiel ihm ein, dass exakt dies ja seine Aufgabe war.

»Es ist Zeit!«, straffte er sich und klopfte zwaj mol mit dem Sensenstiel auf den Linoleumboden des Seniorenheims. »Wir müssen jetzt gehen!«

Die Großmutter schaute schweigend aus dem Fenster in den frühen uwnt hinaus, wo der wint mit den Tannenwipfeln gaukelte.

Es entstand eine lange Pause.

Der Tod überlegte und versuchte es dann mit Coaching: »Wann sähen denn *Sie* Ihre Zeit gekommen, Frau Eisengeist?«

»Nie!«

»Nie geht nicht.«

»Dann kommen Sie nächste woch wieder.«

»Das sagen Sie jetzt seit sechs Jahren, und ich –«

»Nu, es funktioniert«, lachte sie meckernd.

Der Tod war ratlos. Üblicherweise fügten sich die Leute in ihr Schicksal, wenn er auftauchte. Die einen fluchten, andere jammerten, viele erstarrten, doch keiner stellte den Ausgang der Situation in Frage.

Keiner außer meiner bubbe.

»Also gut!«, gab der Tod sich dann den Anschein von Entschlossenheit. »Nächste Woche komme ich wieder!«

»Sage ich ja«, ließ sich meine Großmutter triumphal aus den Tiefen ihres Sessels vernehmen.

Beim Verlassen des zimers streifte der Tod – ob Zufall oder Absicht, ist nicht festzustellen – mit dem Sensenblatt eine uralte gerahmte Aufnahme meiner Großmutter von der want. Das Bild fiel zu Boden, wo das Glas barst.

»Sie untam!«, rief meine Großmutter, nachdem sie blitzartig herumgefahren war und das Malheur erblickt hatte.

»Irgendwo muss man ja mal anfangen«, sagte der Tod und verschwand.

Beim Betreten des Altersheims empfing meine mame und mich das übliche Aroma aus Kohl, scharfen Putzmitteln und pischechz. Neben der Rezeption stand die uralte und verwirrte Frau Steinkrug, die wieder amol vergessen hatte, wo sie hinwollte. Sie starrte zur einen want, drehte sich dann zur anderen und entschied sich endlich, wieder in die Richtung zu gehen, aus der sie gekommen war.

Das Altersheim hatte zwaj Aufzüge; einen normalen und einen schabbes-Lift, der in jedem Stockwerk hielt und auch nur am schabbes in Betrieb war. Meine Mutter drückte im ersten Lift die Taste für den zweiten Stock, der Aufzug glitt hin, hielt an, und eine schtim vom Chip sprach: »Zweiter Stock«; in einer Deutlichkeit, die speziell dem greisen Menschenohr gewidmet war.

Vorbei an Trolleys mit medizinischen Utensilien und an solchen mit Mitteln für die Raumpflege, im Weiteren an

Rollstühlen und Tablettwagen mit dampfendem Essen, marschierte meine mame zum zimer meiner bubbe, das direkt neben dem meines Großvaters lag. Vor der tir legte sie mindestens finfunfirzik ihrer finfunfinfzik jorn ab, drückte die Klinke und schalmeite mit nervöser Mädchenstimme in den muffigen Raum hinein: »Hallo, Mami!«

Ich erschrak, denn meine Großmutter, die mit geschlossenen ojgn in ihrem abgewetzten Fauteuil saß, schien dem tojt noch näher als bei meinem letzten Besuch. Ganz dünn lag ihre Haut auf dem Schädel, dessen Form sich deutlich darunter abzeichnete. Einen Moment lang stellten meine mame und ich uns die bange Frage, ob die bubbe überhaupt noch lebte, doch dann tat sie einen tiefen Atemzug und ihr kop neigte sich etwas zur Seite. Meine mame fasste sich ans harz und stieß ein erleichtertes »Oj wej« aus, bevor sie sich auf das Pflegebett ihrer Mutter fallen ließ. Dessen Federung gab einen Teil der Energie zurik und die mame wippte wieder nach oben. Es dauerte ein paar sekundn, bis die gegenläufigen Bewegungen zur Ruhe kamen, wie ich amüsiert beobachtete.

Ich sah mich im zimer um. An den Wänden hingen einige der Bilder und Fotografien, die früher in der Wohnung meiner Großeltern zu sehen gewejn waren; viele der Fotos zeigten meinen Großvater vor seinen diversen Autos, alles Fabrikate der Marke Peugeot. Auch er mied die deutschen Fahrzeuge oder »Hitler-Kutschen«, wie er sie immer nannte, was ich als kleiner jing nie verstanden hatte. Was eine Hitler-Kutsche sei, fragte ich, als ich mit ihm unterwegs war und er sich wieder amol über den Fahrer von einem deutschen ojto geärgert hatte, wobei ihm der bloße Besitz von einem deutschen ojto schon Anlass genug war.

»Hitler war ein böser man«, sagte mein Großvater dann und zog an seiner Brissago.

Ich wollte wissen, weshalb.

»Er hat viele jidn umgebracht. Seks Millionen.«

Ich erschrak und wollte wissen, weshalb. Und auch, wie viel eine Million sei.

»Er hat die jidn gehasst. Und eine Million ist tojsnt mol tojsnt.«

Ich verstand nicht und wollte wissen, weshalb jemand so viel Hass haben könne. Und wie viel tojsnt sei.

»Weil er eben ein böser man gewejn ist. Und tojsnt ist zehn mol zehn mol zehn.«

Ich wollte nochmals wissen, weshalb Hitler ein böser man gewejn sei, und ärgerte mich, dass meinen Fragen mit Antworten begegnet wurde, die wenige sekundn zuvor schon gegeben worden waren – eine Unsitte der Erwachsenen, wie ich schon bald feststellte.

»Weil er so zur Welt gekommen ist«, sagte mein Großvater und nahm einen tiefen Zug von der Brissago.

Nun verlangte ich zu wissen, ob denn nicht jeder nett zur Welt komme. Ob G't denn nicht jeden Menschen nett mache.

»Leider nein«, sagte mein Großvater, »leider nein.«

Ich wollte wissen, weshalb es Menschen gebe, die so zur Welt kamen, dass sie schpejter die jidn hassen.

Mein Großvater paffte weiter mit der Brissago herum.

»Ich weiß es nicht«, sagte er dann, und es regnete in Strömen; wir standen an einer Ampel, das Blinkerrelais klackte kalt und das ojto war voll mit Zigarren-rojch und jüdischer Traurigkeit.

Einmol, vor ungefähr seks jorn, da transportierte mein Großvater einen Kunden, der vom Triemli ins Seefeld wollte,
nach Frauenfeld, obwohl der Fahrgast auf der ganzen Stre-
cke heftig dagegen protestierte, während mein Großvater
darauf bestand, das genannte Fahrziel sei Frauenfeld gewejn, also werde auch nach Frauenfeld gefahren. Als sich
diese Fälle zu häufen begannen und die tatsächlichen De-
stinationen sich schließlich nicht amol mehr auf die ge-
wünschten reimten, wurde klar, dass die Automobilisten-
karriere meines Großvaters, die ihn gut finfzik mol um die
erd herum geführt hatte, ein Ende finden musste.

Mit einem Seufzer kehrte meine bubbe aus irgendeiner
Ferne zurik und öffnete die ojgn. Dann erblickte sie meine
Mutter und fixierte sie, als sortierte sie alle ihr geläufigen
Gesichter, bis sie endlich eine Übereinstimmung gefunden
hatte. Schließlich strahlte sie und rief: »Judith-schaz!«
   Meine mame strahlte zurik und begrüßte ihre Mutter in
jener leicht übertriebenen Weise, in der man jemanden begrüßt, wenn man befürchten muss, es könnte das letzte mol
sein. Sodann studierte meine Großmutter mich, den sie nun
auch bemerkt hatte. Hier dauerte die Sortierung erheblich
länger und führte auch zu keinem Ergebnis, sah man von
den zwaj Fehlbeurteilungen ab, die in mir erst meinen Bruder und dann den kusin meiner mame vermuteten. Diese
musste nachhelfen: »Das ist der Motti!«
   »Hä?«, sagte meine Großmutter. Ob sie akustisch oder
sinngemäß nicht verstand, war schwer zu sagen. Meine
Mutter wiederholte es einfach und zur Sicherheit auch lojter: »DER MOTTI!«

»Aah!«, rief meine bubbe nun endlich. »Süß!«

Sie wechselte wieder in den Nahtodmodus.

Meine mame schrie sie an, wie es ihr gehe.

»Wus?«, fuhr die bubbe hoch.

»WIE GEHT ES DIR!«

»Ah! Nicht gut, nicht gut«, winkte die bubbe ab.

»Der Motti hat a mejdl kennengelernt!«, rief meine Mutter dann.

»Hä?«

»A MEJDL! DER MOTTI! HAT A MEJDL! KENNENGELERNT! FARSCHTAJST?«

»Aah!«, rief meine bubbe verständnislos dreinblickend. »Süß!«

»Michèle heißt sie!«

»Wer pischt?«

»Nicht pischn, MICHÈLE!«

»Aah! Süß!«

Und so ging das in einem fort; meine Mutter übermittelte ihrer Mutter das bis ins Detail abgefasste Drehbuch meiner filkinderiken Ehe mit Michèle, und meine Großmutter beglaubigte es. Oder tat so.

Ach, wenn sie wüssten.

Die tir ging auf und eine Pflegerin trat ein.

»Gut Tag, Frau Eisgeist«, sagte sie in gebrochenem Deutsch.

»Was will diese chonte?«, fragte meine bubbe meine mame und hob ihren welken Finger in Richtung der Pflegerin.

»Pscht, Mami!«, empörte sich meine Mutter.

Die chonte sagte freundlich: »Ich muss nehmen Ihren Blutdruck, Frau Eisgeist.« Sie näherte sich mit dem entsprechenden Gerät. Vorsichtig, wie mir schien.

»Ää!«, machte meine Großmutter ärgerlich und ließ ihre hant flink zur Seite fliegen.

Die Pflegerin zuckte zusammen und fühlte sich sofort furchtbar schlecht. Meine Güte, dachte sie, was machst du da bloß; zwingst einfach eine alte Frau zum Blutdruckmessen, das ist ja grausam …

Dann fiel ihr ein, dass exakt dies ja ihre Aufgabe war, und sie machte sich daran.

Meine bubbe ließ es geschehen, knurrte aber währenddessen leise: »De cholere sol sej chapn!«

»Pscht, Mami!«, empörte sich meine Mutter, obschon sie die Familientradition, den Leuten großzügig Krankheiten an die halds zu wünschen, fleißig aufrechterhielt.

Schließlich besuchten wir meinen Großvater in seinem zimer. Wohin wir wollten, fragte er. Meine mame ging nicht drauf ein, doch ich wünschte, an die Uraniastraße gefahren zu werden. Er freute sich und bat mich einzusteigen, indem er auf einen schtul neben sich wies.

»FARKAKT«, RIEF MEINE MUTTER
HINTER IHREM GEBLÄHTEN LUFT-BAJTL HERVOR

Auf der Rückfahrt gestaltete meine Mutter ihre Pläne für die chassene mit Michèle weiter aus: Als Datum wünsche sie sich, aus tiefem harz, ihren Geburtstag im Spätsommer; dies wäre ein himlisches fargenign für sie!

In ihrer Vorstellung war dieses fargenign derart entrückend, dass meine mame mehr auf mich einredete, als auf den farker achtete; immer wieder schaute sie zu mir herüber und erzählte dies und erzählte das. In der Folge setzte sie unseren Previa präzis ins Heck eines an einer Ampel stehenden Audi.

Ich rief noch, sie solle aufpassen, doch bis sie merkte, was ich überhaupt meinte, und endlich darauf reagierte, war es bereits zu schpejt.

Der Aufprall war nicht sonderlich heftig, aber doch kraftvoll genug, dass sich unsere Airbags mit zwaj großen Krachern öffneten. Meiner schlug mir heftig die briln vom kop.

»Farkakt!«, rief meine Mutter hinter ihrem geblähten Luft-bajtl hervor und versuchte mit hektischen Armbewegungen vergeblich, ihn von sich wegzuschieben. Irgendwann hatte er genug Luft verloren und die schnaufende mame kam wieder zum Vorschein. Ich derweil hielt mit der

84

einen hant meine schmerzende nos und suchte mit der anderen meine briln. Ich fand sie auf der Rückbank; in zwaj Teilen.

Die mame wiederholte ihren Fluch noch mehrere mol.

Aus dem anderen ojto war mittlerweile ein man von ungefähr sekzik jorn ausgestiegen; so genau sah ich das infolge meiner Kurzsichtigkeit und Brillenlosigkeit nicht. Er trug einen beigen Trenchcoat über einem hellblauen Hemd. Nachdem er uns einen finsteren blik zugeworfen hatte, besah er sich den Schaden an seinem ojto, wandte sich verdrossen ab, verwarf dabei eine hant und rief dasselbe wie meine Mutter, aber auf Hochdeutsch.

Dann trat er zu unserer Fahrer-tir heran und meine Mutter senkte das Fenster ab. Der Motor lief nicht mehr, aber die Zündung war anscheinend noch eingeschaltet.

»Tja«, sagte der dajtsch, »das ist jetzt nicht so gut.« Er sah noch amol zum zerknüllten Heck seines Wagens hin und machte ein schmerzvolles punem.

Meine Mutter sagte nichts dazu, sondern nahm ihren hant-bajtl hervor und begann, wild darin herumzukramen. Es war nicht klar, wonach sie suchte.

»Fahren wir mal da rechts ran«, sagte der dajtsch, nachdem er ihr einen Moment lang irritiert zugesehen hatte, und wies auf den Vorplatz eines Ladengeschäftes.

Meine Mutter sagte noch immer nichts. Hinter uns begann es zu hupen. Der dajtschisch Autofahrer stieg ein und lenkte sein ojto über das Trottoir und auf den Vorplatz. Meine Mutter tat es ihm gleich.

Der man stieg wieder aus und kam zurik zu uns.

»Wir brauchen ja wohl nicht darüber zu streiten, wessen Schuld das war«, sagte er trocken.

Meine Mutter probierte es trotzdem und unterstellte ihm, viel zu plötzlich abgebremst zu haben.

»Mame –«, sagte ich.

Der man wurde sofort recht ungehalten und fragte, ob er die polizaj rufen müsse.

»Mame!«, sagte ich abermals und hielt meine nos, die ernsthaft weh tat.

Meine Mutter schaute mich einen Augenblick fremd und ratlos an. Dann besann sie sich und sagte zu dem dajtsch, der bereits sein Mobiltelefon aus der Mantel-keschene geholt hatte: »Nein, nein, Sie haben ja recht. Motti, gib mir ein Unfallprotokoll.«

Ich versuchte das Handschuhfach zu öffnen, in dem wir mindestens zehn solcher papirn hatten, doch das ging nicht; die Konstruktion war vom Aufprall verzogen. Dies teilte ich so dem man mit. Er gab einen ärgerlichen Laut von sich und suchte dann in seinem eigenen Wagen nach einem Protokoll.

Währenddessen gab meine Mutter ihrer tiefen Genugtuung Ausdruck, einen Horch zerstört zu haben.

Nachdem die Formalitäten erledigt und die kaputten Autos von zwaj Abschleppfahrzeugen aufgeladen worden waren, fuhren meine mame und ich mit einem taksi nach Hause, wo ich meine briln mit Klebeband zusammenfügte. Sie saß danach völlig schief in meinem punem.

Meine mame hatte vom Airbag einige kleine Schürfwunden erlitten und diese mittlerweile großzügig gesalbt, was sie wie einen Baumwollstrauch aussehen ließ. Sie machte gerade am Telefon meinem tate wortreich von unserem Missgeschick Meldung.

Ich beschloss, mir eine neue briln kaufen zu gehen, und verließ unsere schtub wieder.

Tomorrow Noon

Auf dem Weg zum Optikergeschäft begegnete mir Herr Winterkleid, einer der ersten Kunden der Wolkenbruch Versicherung. Herr Winterkleid war der man, der die jüdische Gemeinde mit den kurzen hojsn und den langen armeln ausstaffierte.

»Oj, Herr Wolkenbruch, wus is geschejn?«, rief er, als er mich sah.

»Ein kleines umglik mit dem ojto«, antwortete ich.

Herr Winterkleid wollte alle Einzelheiten wissen. Dass ein dajtschisch ojto Schaden genommen hatte, fand er toll. Ob meine Mutter das absichtlich gemacht habe? Nein? Nu, unabsichtlich sei genauso gut. A schejnen uwnt! Und ging weiter.

Ich nahm meinen Schritt wieder auf, musste aber beim Gehen die notdürftig reparierte briln immer wieder neu auf meine nos setzen, da sie furchtbar krumm darauf saß.

Schließlich gelangte ich beim Optikergeschäft Grünstern an. Das Schaufenster war stellenweise trüb und die briln in der Auslage sahen alle gleich aus, nämlich wie meine, außer jene für die Damen, die sich wiederum alle ähnelten.

»Oj, Herr Wolkenbruch, wus is geschejn?«, rief der alte Herr Grünstern, als er mich sah. Herr Grünstern hatte mir schon meine erste briln verpasst. Er war ein kränklich wirkender alter Herr, der stets ein bisschen nach Antiquitätenladen roch, was vermutlich daran lag, dass er einen besaß.

Wieder musste ich die ganze majse mit dem ojto-umglik erzählen und Herr Grünstern rief sogleich meine mame an, ob alles besejder sei, obwohl ich ihm dies bereits zwaj mol bestätigt hatte. Meine Mutter allerdings schien die Angelegenheit in einer solchen Dramatik wiederzugeben, dass dem alten Optiker die aufgrund seiner starken Weitsichtigkeit ohnehin schon sejer grojsn ojgn vollends übergingen; und er rief »Oj!« und »Oj!« und »Oj!« und »Oj wej!« und verwarf die Hände, mol die linke und mol die rechte, und er musste wieder und wieder den Telefonhörer von der einen in die andere wechseln dafür.

Schließlich legte er auf und umfasste mit seinen frei gewordenen trockenen, alten Händen die meinen, um mir und meiner mischpuche viel masl zu wünschen für die schwierige zajt, die vor uns liege, und wir mögen bitte alle rasch gesunt werden.

»Herr Grünstern, meine Mutter hat nur ein paar Schürfwunden«, relativierte ich ein wenig verärgert und zog meine Hände zurik, doch Herr Grünstern schüttelte nur traurig den kop; als verleugnete ich die offenkundige Tatsache, dass meine mame mit dem tojt rang.

Endlich kamen wir zum Grund meines Besuches – eine neue briln.

»Richtik«, sagte Herr Grünstern und erhob sich, um aus seinem Schaufenster ein »schejnes, modernes Modell« zu holen, wie er sich ausdrückte.

Was er zurikbrachte und auf den Tisch legte, sah allerdings genau gleich aus wie meine briln, die schon dort lag, einfach unbeschädigt: ein silberfarbenes Gestell im pilotn-briln-Stil.

»Herr Grünstern, so eine habe ich schon«, wies ich auf mein aktuelles Exemplar.

»Nu, ich dachte, Sie wollen wieder so etwas?«, meinte er.

»Nu, ich dachte, Sie zeigen mir etwas Modernes?«, sagte ich.

Er ließ ein »Hm!« über den Tisch wandern, jenem meiner Mutter nicht unähnlich, wenn sie projges ist, aber gelassener, vielleicht auch einfach nur müder, und holte eine andere briln hervor. Es handelte sich ebenfalls um eine silberfarbene pilotn-briln, allerdings war der obere Rand nicht ganz gerade, sondern leicht geschwungen.

»Nu?«, fragte Herr Grünstern.

»Herr Grünstern …«, sagte ich, »das ist bis auf den oberen Rand dieselbe briln.«

Wir wiederholten die Prozedur noch zwaj mol; ein mol hatte das Gestell einen stärker geschwungenen oberen Rand und ein mol einen stärker geschwungenen unteren.

»Haben Sie nichts, was nicht silberfarben ist?«, fragte ich schließlich.

»Nu …«, hob Herr Grünstern bedauernd die schmalen Schultern, »dus is, wus ich hub.«

Ich hatte, wie ich merkte, keine Lust, als der gleiche Motti Wolkenbruch aus dem Optikergeschäft zu gehen wie hinein. Also bat ich Herrn Grünstern, doch einfach meine kaputte briln ein bisschen besser zu flicken, und ich würde woanders ein neues Gestell suchen.

Also lötete er, durchaus geschickt, meine kaputte briln zusammen und wünschte mir, vor allem aber meiner mame, beim Abschied nochmals gute Genesung. Draj mol.

Munter spazierte ich Richtung Innenstadt; in der hofenung, auf ein Optikergeschäft mit mehr Auswahl zu stoßen. Ich ahnte, dass mehr Auswahl zwingend weniger jiddischkajt bedeuten würde, doch ich fand, wenn ich schon eine gojete begehrte, konnte ich auch beim goj eine briln kaufen. Das machte vor G't auch keinen Unterschied mehr.

Ich hörte in mich hinein, ob G't das auch so sah. Doch es blieb stumm in mir. Vermutlich hatte Er mich längst aufgegeben. Dieser gedank schmerzte, hatte aber im Vergleich mit früheren Gelegenheiten deutlich an schrek verloren.

Als ich die Badenerstraße überquerte, bemerkte ich ein briln-gescheft. Die Jalousien waren wegen der sun heruntergelassen, so dass ich die Auslage erst erkannte, nachdem ich schon fast daran vorbeigegangen war. Ich trat näher und sah briln in den sonderbarsten Formen aus Kunststoff. Sie wirkten, als hätten Zeitreisende aus einer fernen Zukunft sie abgelegt und hier vergessen.

Interessiert betrat ich den Laden. Die elektronische tirglok, aktiviert durch den Lichtsensor, lockte aus dem Hinterzimmer einen simpatischen man mittleren Alters mit kurzgeschorenem hor. Auch er trug eine briln aus der Zukunft und stutzte, als er mich erblickte.

»Ich hatte einen kleinen Autounfall«, wies ich entschuldigend auf die Situation in meinem punem.

»Haben Sie sich verletzt?«, fragte der man mit echter Anteilnahme.

»Nur leicht«, antwortete ich, »im Gegensatz zu meiner briln.« Ich zeigte abermals in mein punem.

Der man schaute mich verwirrt an: »Briln?«

»Oh, bitte entschuldigen Sie. Brille. Briln ist Jiddisch für Brille.«

»Ach so«, sagte der man freundlich, »dann … nehmen Sie doch bitte Platz!« Er deutete mit der hant einladend auf einen hipschn Holztisch. Ich setzte mich auf der einen Seite, der Optiker auf der anderen.

»Woran haben Sie denn gedacht?«, fragte er, nachdem er auf seinem schtul herangerückt war.

»Wie Sie sehen, bin ich Jude«, sagte ich.

»Ja, das sehe ich«, lächelte er. Er machte nicht den Eindruck, als wartete er darauf, dass ich demnächst mit dem Feilschen beginnen würde.

»Und wir Juden haben eigentlich alle dieselben briln«, sagte ich, nahm meine ab, legte sie auf den Tisch und zeigte darauf.

»Das ist mir schon aufgefallen«, sagte der Optiker amüsiert und fragte: »Warum eigentlich?«

»Weil wir alle zum selben Optiker gehen«, antwortete ich. »Von dem komme ich gerade. Seine Auswahl ist sejer klein. Eigentlich ist es gar keine. Ich möchte auf jeden Fall mal etwas anderes.«

»Ich glaube, ich kann Ihnen helfen«, sagte der Optiker und erhob sich, um aus einer breiten, flachen schuflod einige Brillengestelle herauszuholen. Er legte sie in einem Halbkreis vor mir auf dem Tisch aus und setzte sich wieder, mit den Worten: »Wir haben letzte Woche neue Modelle erhalten. Ich würde sagen, das ist etwas anderes, als was Sie da haben.«

Interessiert begutachtete ich die wunderlichen Gebilde und las die nicht minder phantastischen Bezeichnungen in den Bügeln:

Elevator Eyes, My Heart Rates Rapid, Shake The Night Away, Fountain of Truth, Tomorrow Noon.

Mir gefielen alle Modelle, doch das letzte, ein extravagantes aus dunklem Schildpattimitat, tat es mir mit seinen riesigen Glasfassungen, verbunden durch einen bulligen Steg, am meisten an. Begeistert setzte ich es auf.

Der Optiker drehte den ovalen schpigl auf dem Tisch zu mir und grinste.

Ich sah hinein und erblickte einen völlig fremden mentsch.

»Eben, etwas ganz anderes«, meinte der Optiker gut gelaunt.

Ich starrte immer noch in den schpigl. Wie um mich zu vergewissern, dass ich es war, den ich da sah, fasste ich mir ans kin. Der mentsch im schpigl tat dasselbe.

»Wollen Sie noch ein anderes Modell probieren?«, fragte der Optiker von weit weg.

»Nein … nein …«, sagte ich und betrachtete weiterhin gebannt mein schpigl-bild, »ich nehme die da.«

»Ich finde, sie steht Ihnen sehr gut«, sagte der Optiker, »sehr urban.«

»Sejer was?« Ich kannte das Wort nicht.

»Urban. Städtisch.«

»Asoj«, sagte ich und schaute wieder in den schpigl,

93

drehte den kop nach links und nach rechz und hatte a grojse frejd.

»Machen wir noch einen Sehtest?«, fragte der Optiker.

Nachdem er meine Sehkraft vermessen und sich alle Details notiert hatte, ließ mich der Optiker wissen, meine neue briln sei bereits in zwaj teg fertig.

Zufridn und mit einem gitn, geradezu ungeduldigen Gefühl gegenüber all dem Unbekannten, das noch in mein lebn treten würde, verließ ich das gescheft und blinzelte durch meine alte, kaputte, schmuzike briln in eine gütige, warme untergehende sun.

MIT »NACKTE FRAU« ERZIELTE ICH SCHON BESSERE RESULTATE

Am nächsten frimorgn ging ich zur Uni, um das Seminar *Ökonomie und Politik der Innovation* zu besuchen. Laura und ihre Freundin saßen bereits im Vorlesungssaal, als ich eintrat. Da schon fast alle Plätze besetzt waren, kam ich in der Reihe hinter den bejden zu sitzen und damit in den bedenklichen Genuss, Laura aus der Nähe betrachten zu dürfen.

Sie trug ihr hor kürzer, was ihr gut stand. Das galt auch für das weiße Polohemd mit dem anliegenden Schnitt. Zwaj schtundn lang nahm ich mir arojs di ojgn und bekam währenddessen weder von Ökonomie noch Politik der Innovation viel mit.

Nach der Vorlesung erhob sich die Studentenschaft von ihren Sitzen, was Laura aus meiner Perspektive von der Halbfigur zur Ganzfigur brachte. Dabei bemerkte ich, dass sie wieder diese blauen hojsn trug, mit denen die gojim alle herumlaufen. Als Kind dachte ich, das sei die Uniform der gojim; wir in schwarzen hojsn, sie in blauen. Schpejter lernte ich, dass diese hojsn Jeans heißen. Und noch schpejter, dass diese am besten aussehen, wenn eine Nichtjüdin drinsteckt. Und noch etwas schpejter, dass dieser Anblick richtig wej tun kann, wenn einen diese Nichtjüdin mit keinem blik würdigt und auch keinerlei Anstalten macht, das zu ändern.

Während ich ahajm an die Hopfenstraße radelte, überlegte ich, was zu tun sei, um Laura näherzukommen. Dabei musste ich mir zerknirscht eingestehen, dass ich gar nicht wusste, wie man Kontakt zu einer froj herstellt. Solcherlei hatte bislang stets meine mame für mich erledigt. Was mich zusätzlich zerknirschte.

Ein großer Ärger machte sich in mir breit; über mein lebn, über die enorme Distanz zu Laura und über die lachenswerte Tatsache, dass ich mit meinen finfunzwanzik jorn noch nie eine nakete froj gesehen hatte.

Aus diesem Grund hatte ich kürzlich im Internet spätabends nach *naket froj* gesucht, war damit aber nur auf seltsame Kunst gestoßen. Mit *nackte frau* erzielte ich schon bessere Resultate. Aber auch keine grundlegende Erfüllung.

Grimmig ließ ich meinem redl die Rämistraße hinunter freien Lauf. Soll G't mich doch zu sich nehmen!, dachte ich; was ist das für ein lebn, so ewig fernab von tejcheser und bristn!

Doch die Ampeln standen alle auf Grün, als ich über die Kreuzungen rasselte.

Sie haben vermutlich selten jüdische Kundschaft, die einen Rasierer kauft, nicht wahr?

Einen tog schpejter durfte ich meine neue briln abholen.

»Herr Wolkenbruch!«, freute sich der Optiker, als ich seine krom bei der Kalkbreite betrat. Er holte eine mit meinem Namen beschriftete Plastikschachtel hervor, in der das Modell *Tomorrow Noon* lag. Feierlich klappte er die Bügel auf und setzte mir die briln auf die nos, was immer noch leicht wej tat, lehnte den Oberkörper etwas zurik, guckte rasch und mehrmals zwischen den Rändern der briln hin und her, trat dann neben mich, zog sanft an meinem rechten ojer, prüfte den Sitz des Bügels und wiederholte dies auf der anderen Seite.

»Perfekt«, sagte er und zog wieder den schpigl auf dem Tisch heran. Ich sah hinein und wunderte mich neuerlich über die Fremdheit meines Abbildes. Der Optiker farsicherte mir, ich sehe prima aus, und fragte, ob er mir noch einen kleinen persönlichen Ratschlag geben dürfe.

A gojische ejze, dachte ich, da bin ich amol gespannt! Findet er mich auch zu mager?

Er fände es cool, wenn ich meinen Bart etwas trimmen würde, sagte der Optiker. Das würde besser zu dieser Brille passen.

Cool? Trimmen?

Ich verstand nicht.

Cool, das heiße lässig, toll, erklärte er. Und trimmen, das heiße stutzen, scheren. Mein Bart sei ein bisschen… wild?

Ich blickte abermalig in den schpigl und stellte mir vor, wie ich aussehen würde mit a getrimmte bort. Ob das *lässig* sein würde.

»Da müsste ich erst einen Rasierapparat kaufen«, sagte ich dann, »in unserem Haushalt gibt es das ja nicht. Mein Vater hat seinen Bart noch nie geschnitten, und bei mir reichte es bisher, wenn ich alle paar wochn zur Schere gegriffen habe.«

Der Optiker lachte und meinte, gleich in der Nähe gebe es ein Elektrofachgeschäft.

Dann wollte er noch wissen, warum ich keine… er machte mit dem Finger neben seinem Ohr eine zapfenzieherartige Abwärtsbewegung.

»Pajes«, sagte ich.

»Wie?«

»Pajes. Schläfenlocken.«

Genau. Warum ich keine trage.

Weil ich zwar fromm sei, aber nicht so fromm, sagte ich.

»Ah«, sagte der Optiker.

Ob er glaube, alle Juden seien gleich fromm, fragte ich nach einer Pause.

»Ja… irgendwie schon«, antwortete er.

Dem sei nicht so, sagte ich, da gebe es wesentliche Unterschiede. Ich dachte an die liberale Frau Silberzweig und die nicht ganz so liberale Frau Wolkenbruch.

Ob ich deshalb auch keinen Hut trage, sondern nur ein –

er zeigte umständlich auf seinen Hinterkopf und ließ dort seinen Finger kreisen – ein Käppchen… wie heiße es…

»Eine Kippa«, sagte ich. »Ja.«

»Ah«, sagte der Optiker.

»Ja«, sagte ich.

Wir sahen einander an, über die weite, weite Kluft der Kulturen hinweg.

»Also«, sagte der Optiker dann und erhob sich.

»Also«, sagte ich, erhob mich ebenfalls, bezahlte meine neue briln, ließ die alte zum Entsorgen da, nahm herzlich Abschied und betrat kurz darauf die genannte krom für Elektrowaren.

Der Verkäufer, ein knorriger älterer Herr mit fettigen, weißen Strähnen in der breiten Stirn, die in eine düstere Miene überging, schaute recht schpasik, als ich, nachdem ich kurz die Auslage besehen hatte, mit einer Verpackung in der hant zu ihm an die Kasse trat.

»Sie haben vermutlich selten jüdische Kundschaft, die einen Rasierer kauft, nicht wahr?«, fragte ich fröhlich, während der Knorrige den Betrag eintippte und die nos hochzog. Er schaute mich wieder eigenartig an. Antwort gab's keine. Auch den prajs – najnunfirzik Franken najnzik – knurrte er mehr, als dass er ihn nannte.

Ich legte eine finfziker-Note auf den Tresen, der man holte nach einem blik darauf ein Zehnrappen-schtik aus der Kasse und tauschte es zusammen mit einem Kassabon gegen die Note. Dann drückte er einen Stempel auf den Garantieschein und schrieb das aktuelle Datum hinein. Damit war für ihn die sach erledigt; er wandte sich ab und wieder seiner vorherigen Tätigkeit zu, die zwischen dem Blättern in einem dicken Katalog und dem krazn an seinem bouch oszillierte.

»Auf Wiedersehen«, sagte ich zum breiten rukn des Verkäufers.

Aber der rukn schwieg.

Ich verließ den Laden.

Zu Hause war kein mentsch anzutreffen. Von einem merkwürdigen Tatendrang beseelt, der mich aus einer lustigen Zukunft zu sich zu rufen schien, suchte ich das wasch-zimer auf, packte meinen neuen Rasierapparat aus und stellte die Scherstufe auf die erste von finf möglichen ein. Dann warf ich einen letzten blik auf die Person im schpigl, die sich mit der neuen briln ja bereits einen gitn Tagesmarsch vom bisherigen Mordechai Wolkenbruch entfernt hatte und sich durch die anstehende Rasur noch weiter verändern dürfte.

Cool und urban, so die Attribute, die mich angeblich erwarteten.

Binnen weniger minutn hatte ich das schüttere jiddische Gestrüpp in meinem punem in einen regelmäßigen tepech verwandelt. Ungläubig fuhren meine Hände über die fast nackten Wangen. Es fühlte sich gut an.

Im Waschbecken lag, mit leichtem Rotschimmer und rund um den Abflussstöpsel verteilt, die abgeschlagene Tradition.

WAS HAST DU GETAN!, schrillte da die schtim meiner mame in meinem kop, vervielfältigt durch tojsnt weitere jiddische schtimen quer durch die Jahrtausende hindurch; DU BIST DER MERDER DER JIDDISCHKAJT! DER MERDER!

Kurz darauf gelang ich allerdings zur Ansicht, dass der neue Motti wesentlich fescher daherkam als der alte. Ich wischte die abgeschnittenen bort-horn zärtlich, aber entschlossen zusammen und entsorgte sie im opfal. Und fühlte mich bereits a bisl urban.

Dann schrieb ich Michèle ein sms, ob ich sie ojf a schelchel tej einladen dürfe. Sie gewährte es und wir verabredeten uns im Olive Garden, einem koscheren Restaurant.

Ich war etwas zu fri da, und als Michèle hereinkam, ging sie an meinem Tisch vorbei.

»Michèle!«, rief ich ihr hinterher.

Sie drehte sich um und starrte mich an. Erst so, wie man jemanden anstarrt, der einen im öffentlichen Raum überrascht. Dann so, wie man jemanden anstarrt, der lachend seinen Arm in einen eingeschalteten Häcksler hält.

»Motti?« Ich las es mehr von ihren lipn ab, als dass ich es hörte.

»Motti!«, bestätigte ich gut gelaunt und bot Michèle einen schtul an. Sie blieb stehen und suchte, über ihrer Nasenwurzel eine putzige Längsfalte, in meinem punem nach Worten. Schließlich fand sie welche und lächelte: »Steht dir gut.«

Michèle hatte ihrer mame noch nicht gestanden, dass aus uns kein por werden würde. Sie war deshalb in ihrer Freizeit hauptsächlich damit beschäftigt, die Gespräche über Gästelisten, Menükreationen, Sitzordnungen, Garderobekombinationen, Blumengestecke, Einladungskarten, Transportlogistik und Namensvorschläge für Enkelkinder in einem halbwegs erträglichen Rahmen zu halten. Sie wirkte mid, als sie darüber Bericht hielt.

Ob denn ich es meinen Eltern schon gesagt hätte, fragte sie.

»Nein«, sagte ich.

Und warum ich eine neue briln hätte.

»Ein Unfall«, sagte ich und wies auf die blaue Stelle auf meiner nos.

An den Nebentischen beobachteten uns einige jidn neugierig. »Schau, die haben einen schidech!«, sagte eine froj zu ihrem man, ohne sich die Mühe zu machen, leise zu sprechen.

»Aber warum eine *solche* briln? Und warum ein *solcher* bort?«, fragte Michèle.

»Weil ich nicht mehr aussehen will wie all die anderen jidn in Zürich«, sagte ich, wobei ich anmerken muss, dass ich mir das gar nicht so überlegt hatte; es kam vielmehr einfach aus mir heraus.

Auf Michèles Stirn bildete sich nun wieder die kleine Falte.

Was los sei mit mir.

»Ach«, sagte ich und rührte eine Weile lang sinnlos im tej herum.

Michèle lehnte sich etwas vor: Ob eine froj im schpil sei?

Kurz und überführt sah ich auf und dann rasch wieder ins glejsel hinab, wo ich die Rührfrequenz erhöhte.

Michèle sagte einen Moment lang nichts und fragte dann ganz derschrokn und kaum vernehmbar: Ob es eine *schikse* sei!

Noch amol sah ich kurz auf und wieder awek. Ich hatte es offenbar mit einer Hellseherin zu tun; noch weitaus mächtiger als Frau Silberzweig.

»Jo – a schikse«, stieß ich hervor und wirbelte wild mit dem lefl im tej herum.

»Motti!«, rief Michèle gedämpft.

Ich war nicht sicher, ob sie sich an der gojete störte oder am Rühren im tej, und schaute sie an, um es herauszufinden. Michèle meinte ganz eindeutig die gojete. Hastig sah sie nach links und rechz. Der Ich-habe-gerade-etwas-Unkoscheres-in-meinen-Einkaufskorb-gelegt-Blick. Ich musste kurz grinsen, hatte ich doch durchaus etwas Unkoscheres in meinen Einkaufskorb gelegt.

Ich schwieg, Michèle ebenso. Dann fragte sie: »Und jetzt?«

Da sei ja gar nichts, sagte ich, die rede ja nicht mol mit mir, die gojete.

Darum gehe es doch gar nicht, sagte Michèle.

»Worum denn dann?«

Darum, dass ... dass so was grundsätzlich nicht gehe!

Ich fragte rundheraus, ob sie wirklich ein lebn führen wolle in diesem Rahmen, den ich an dieser Stelle erstmals als eng bezeichnete.

Michèle ging nun ihrerseits dazu über, nachdenklich im tej herumzuquirlen.

Ob sie wirklich weiterhin durch einen Meteoriten-schwarm unpassender Partnervorschläge navigieren wolle oder nicht doch lieber selbst ojgn und harz öffnen für eine libe, die zu *ihr* passe und nicht ins Konzept ihrer mame, fuhr ich mit einem ziternisch in der schtim fort.

Stumm schaute mich Michèle an und zupfte am kolner ihrer Bluse herum. Dann nahm sie einen schlung tej und meinte, dafür, dass die gojete noch kein Wort mit mir gewechselt habe, habe sie aber schon für ordentlichen Krawall gesorgt.

Sie hatte nicht unrecht.

Dann prophezeite mir Michèle einen Strauß blühender Probleme.

Sie werde vermutlich selbst einen pflücken, entgegnete ich.

Auch der Bruder ist ein Geräusch

Die Probleme begannen, als ich nach Hause kam.

Während mein Vater mir zu meinem veränderten Äußeren gratulierte und anerkannte, ich sehe nicht mehr aus wie all die anderen jidn, war meine Mutter tödlich verletzt, weil sie bei der Auswahl der briln nicht zu Rate gezogen worden war.

Man brauche sie ja nicht mehr, rief sie. Sie sei nur noch a koch-jidene, sonst gar nichts mehr!

Sie habe das Bügeln vergessen, merkte mein Vater an; sie sei auch a pres-ejsn-jidene. Dieser Kommentar trug wenig zur Entspannung der emotionalen Lage bei: Barsch wurde dem tate das kischn im tuches befohlen. Dass er wissen wollte, welche tuches-bak er zuerst kischn solle, versetzte die mame vollends in Rage.

»Und wer hat dir den bort geschnitten?«, wollte sie wissen, nachdem sie ein wenig vor sich hingezetert hatte.

Ich selbst, sagte ich; ich selbst sei das gewejn.

»Auch dafür braucht es mich offenbar nicht mehr«, klagte sie unlogisch, sie hatte ja noch nie hant daran angelegt.

»Und diese briln ist schreklech«, meinte die mame. »A furchtbare briln. Du siehst aus wie Woody Allen. Der ist furchtbar, mit seinen Filmen. A furchtbarer jid. Und der kurze bort! Du siehst aus wie a goluech!«

Ich sei ja jetzt auch a goluech, sagte ich; ich hätte mich ja rasiert.

»Eben«, sagte sie, »wie a goluech!«

Es war der uwnt vor dem Pessachfest des Jahres 5771; in gojischen Zahlen 2011.

»Noch a knajdl, Moische?«, fragte meine mame vierundzwanzik schtundn schpejter meinen tate. Die ganze mischpuche hatte sich zu pajsech in unserem Esszimmer versammelt. Mein Bruder Schloime war da mit seiner froj Dana und den draj Kindern, dem finfjährigen Nathan und den drajjährigen Zwillingen Mava und Lital, und las gerade unter den gebannten blikn seiner kinderlech aus der haggada. Davids sibnköpfige Familie feierte pajsech dieses Jahr in Israel bei einem befreundeten Biologenpaar.

Es herrschte ein immenser Tumult; meine mame gab unablässig Anordnungen aus, wer noch wovon wie viel essen müsse, während die Zwillinge abwechslungsweise weinten und kreischten und lachten und Nathan sich darin übte, möglichst viel chrojsses auf einem schtik Matze zu versammeln, wodurch dieses auf dem Weg zu seinem Mund jedes mol entzweibrach und in seinen Suppenteller klatschte. Die Ermahnungen seiner Mutter, die Lastenexperimente zu unterlassen, zeigten keinerlei Wirkung; immer wieder startete er einen Versuch und sein hipscher beigefarbener Pullover war schon ganz nass.

Am anderen Ende des Tisches berichtete mein tate elektrisiert von den zahllosen Fähigkeiten seines neuen Previa, den er beim ojto-kremer gekauft hatte; erste Inverkehrssetzung Februar 2006, eines der letzten in der Schweiz angebotenen Exemplare.

»In Weiß«, rief meine Mutter immer wieder empört dazwischen, »a furchtbare farb!«

Es sei ein sejer edles Weiß, versicherte mein tate der Runde, um dann wieder von der Memory-Funktion der Sitzverstellung zu plojderen und dem gitn prajs, den der ojto-kremer ihm gemacht habe – eine mezie!

»In Weiß«, rief meine Mutter aus der kich heraus, »wi a gojischer zuhalter!«

Auf dem Tisch standen riesige Schüsseln mit chrojsses, Zwiebel mit Ei und gefiltem fisch, bewacht von zwaj massiven Matzentürmen. Es gab auch ein Depot von seks flaschn israelischem Rotwein, das ich bereits zu einem Zwölftel geplündert hatte.

Das tisch-tech, auf dem sich all diese Dinge befanden, war gänzlich mit Matzenkrümeln übersät, und irgendwo fand sich auch noch der traditionelle sederteler mit Petersilie als Zeichen der Frucht der erd, ein kleines Gefäß mit Salz-waser als Zeichen des Meeres, als Zeichen der Bitterkeit etwas Meerrettich, als Zeichen des Lehms etwas chrojsses, als Zeichen der Gebrechlichkeit ein hartgekochtes Ei und als Zeichen des Pessach-Lammes ein gerösteter Knochen mit eppes Fleisch daran.

Lauter Zeichen und lauter Essen; alles sejer jiddisch.

Meine neue briln und der kurze bort gaben Anlass zu allerlei Gerede. Ob ich eine Karriere als Woody Allens Nachfolger plane, wurde gefragt, und warum der jiddische briln-kremer neuerdings solch modische Gewagtheiten im Sortiment führe. Als ich entgegnete, ich sei beim gojischen briln-kremer gewejn, nicht beim bisherigen, gab es einen großen Aufruhr, warum ich so was mache; Herr Grünstern habe doch gute briln und mache immer a gitn prajs –

Usw.

Schloime schließlich, in dessen bort tojsnt Matzenkrümel hingen, worauf er von unserer mame ebenso wie von Dana wiederholt hingewiesen wurde, erging sich in einer trabenden Rede für einen Luftschlag gegen die iranischen Atomanlagen und konnte den weiblichen Rufen hinsichtlich der Essensreste keinerlei Gehör schenken.

Mein Vater sagte, das sei meschigeh, Schloime habe wohl zu viel hizn im kop; noch nie habe sich ein Problem mit Atombomben gelöst.

Der kleine Nathan wollte von seinem Vater wissen, was Atombomben seien.

Die beste meglechkajt, Israel zu verteidigen, sagte dieser und schlürfte zornig Suppe.

Er habe Matzenkrümel im bort, sagte Dana.

Ob er noch a knajdl wolle, fragte meine Mutter.

Matzenkrümel, da, sagte Dana und zeigte auf den bort.

Schloime schlug vor, auch den Syrern zu zeigen, wer im Nahen Osten die hojsn anhabe. Ebenfalls mit Atombomben.

Der kleine Nathan mit dem nassen Pullover wollte wissen, wer die Syrer seien.

Ob er nun noch knajdlech wolle, rief meine Mutter.

Schloime nickte und winkte herrisch zu seinem teler hin, und die Mutter freute sich und händigte vier knajdlech aus und nach kurzem Überlegen noch amol zwaj, und Schloime steckte sich gleich ein ganzes in den Mund und wetterte kauend weiter gegen die Syrer; teils zu seinem Sohn, teils zu seinem Vater, teils zu sich selbst –

Usw.

»Noch a knajdl, Mottele?«, fragte meine Mutter dann auch mich und schöpfte mir, ohne eine Antwort abzuwarten, eine zweite Portion aus der Schüssel mit der Hühnersuppe, in der die knajdlech schwammen. Sie musste wieder unfassbare Vorräte angelegt haben. Letztes jor hatten wir nach pajsech draj wochn lang nichts anderes gegessen.

»Danke, nein«, sagte ich abwesend, während Suppe auf mein Hemd spritzte. Ich war in gedankn wieder bei Laura. Traurig legte ich mein kin in die aufgestützte hant, nachdem ich einen großen schlung Wein genommen hatte, und schubste mit der gopl die knajdlech im teler herum. Ich war schon ein wenig basojfn.

»Spiel nicht mit dem Essen, Mottele!«, rief meine mame und ließ sich ächzend auf ihren schtul fallen, wobei der Parkettboden ein scharfes Knarren von sich gab. Gleich darauf erhob sie sich wieder, um aus der kich a frisches glos Meerrettich herbeizuschaffen.

Als sie zurikkam, rief sie, und sie rief es sejer lojt, denn lojt war es ja schon: »Übrigens! Der Motti hat a froj kennengelernt!«

Augenblicklich erstarben sämtliche Unterhaltungen. Selbst die Zwillinge stellten ihr Gekreisch ein und guckten mich an.

»Erzähl, Motti!«, rief Dana. Sie feixte in die Runde, nun habe sich ja der Grund für die Aventüren in meinem punem gefunden.

Ich schaute lange in meinen teler und blickte dann von einem Gast zum anderen, in der hofenung, sie hätten wieder aufgehört, mich anzusehen. Doch sie machten weiter damit und lächelten sogar noch.

Ich sagte nichts.

Meine Mutter übernahm das Erzählen natürlich gern: »Michèle heißt sie, von den Blattgrüns, die kennen wir über die Dichtwalds, mit deren Tochter ist Motti doch im Kinder-gortn gewejn!«, mischpuchologisierte die mame.

»Waren das nicht die Tannenbaums?«, mischpuchologisierte Dana zurik, und mein tate und Schloime stöhnten auf, wohl wissend, dass nun eine halbe schtunde lang mit leidenschaftlicher Rechthaberei darüber debattiert werden würde, ob ich mit Dichtwalds oder Tannenbaums Tochter im Kinder-gortn gewejn sei.

Mein Einwurf, es seien tatsächlich die Tannenbaums gewejn, wurde von meiner mame mit der scharfen Bemerkung abgewiesen, ich sei damals viel zu jung gewejn, um mich erinnern zu können; ungeachtet dessen, dass die Tannenbaum-Tochter ja weiterhin zur Familie Tannenbaum gehörte und diesem Umstand eigentlich im Umkehrschluss zwingend zu entnehmen gewejn wäre, dass die heutige Tannenbaum-Tochter auch die damalige war.

Doch die frojen redeten weiter –

Usw.

Ich nutzte die Pause für eine neuerliche tog-Träumerei in Sachen Laura. Gezielte Internetrecherchen hatten meine Kenntnisse der weiblichen Anatomie vertieft. Und wie ich so sinnierte, fiel mir auf, dass nicht nur Lauras schejnkajt und ihr kerper und seine Geheimnisse mich lockten, sondern auch ihre gewagte Kleidung, ihre Offenheit und ihr ganzes Wesen fernab meiner Welt voller knajdlech, nostichl, ejzes und zu langer armeln; fernab dieser Welt mit all ihren jahrtausendealten Regeln und Bräuchen. Zwar pflegte ich eine tiefe Verbundenheit dazu; ohne Grund läuft man ja nicht in dieser Aufmachung herum, wie ich mir nach einem kuk in die Runde und auf meine ewig schwarzen hojsnbejner und mein weißes Hemd dachte. Doch unter den Suppenspritzern meiner mame und der flämmelnden Erinnerung an die schejne gojete wurde mir bewusst, wie fremd mir diese Welt in letzter zajt geworden, ja, vielleicht immer gewejn war. Ein lebn lang hatte ich im glojbn gelebt, nur zwischen weißem Hemd eins, weißem Hemd zwaj und weißem Hemd draj wählen zu können, und mir nie darüber gedankn gemacht. Nun machte ich mir welche. Farbige hemdn kamen darin vor. Und Jeans. Und Nichtjüdinnen in Jeans.

Eine im Speziellen.

Während ich meinem Geist dabei zusah, wie er zufridn jenseits des jiddischen Zaunes herumgraste, und mir das siebte oder achte glos Wein nachschenkte, fragte ich mich, warum mich G't eigentlich nicht endlich an die Zügel nahm. Ich nahm einen schlung und horchte wieder amol angestrengt in mich hinein, doch da blieb weiterhin alles schtil. Einzig das leichte Schwappen von knajdlech in Rotwein war zu vernehmen.

Nun ja, dachte ich, und trank weiter.

Meine Mutter und Dana waren sich noch immer nicht einig und hatten die Diskussion, wer nun mit wem verwandt und bekannt sei, massiv ausgeweitet. Ein paar minutn länger und sie würden bei Theodor Herzl angelangt sein. Und auch den genealogisch auseinandernehmen.

Schloime seinerseits hatte all seine Kriegsflaggen entrollt; sie flatterten schon über Damaskus, Teheran, Amman und Kairo.

Die Zwillinge dieweil bewarfen einander mit Plastikbesteck –

Usw.

»Nu, wegen dieser Michèle…«, sagte ich dann vor mich hin und blickte sofort in acht erwartungsvolle Gesichter. Das meiner Mutter war das erwartungsvollste.

»Also… das wird leider nichts«, fuhr ich fort und hob mein glejsel: »Lechajm!«

Daraufhin war das Geräusch, das meine Kehle beim Schlucken machte, das einzig hörbare. Das nächstfolgende erzeugte der Suppenlöffel, der meiner mame aus der kraftlosen hant heraus auf den Tisch kippte, was wiederum großflächiges Besteck- und Gläserscheppern nach sich zog.

Ich war von alledem sejer fasziniert und schaute den Geräuschen nach, sofern so etwas überhaupt meglech ist, schenkte mir nach und nahm auch gleich einen gitn, grojsn schlung, in der besoffenen Hoffnung, dadurch die Geräusche noch stärker sichtbar werden zu lassen.

Besoffene Hoffnung, dachte ich, Besoffnung, hehe.

»Warum nicht?«, ließ sich nun sachlich mein Bruder vernehmen.

Auch der Bruder ist ein Geräusch; ein bärtiges Geräusch, dachte ich, nun endgültig farschikert.

Ich sah auf und merkte, dass mich immer noch alle anschauten, und folgerte daraus, dass sie irgendetwas von mir erwarteten, und nach kurzem Überlegen, was es sein könnte, fiel mir ein, dass ich eine Antwort schuldig war.

Aber worauf?

Und wem?

»Wus?«, fragte ich also und führte mein glos zum Mund. Mein Vater zog langsam die Weinflasche zu sich, die vor mir stand. Neben der leeren.

»Warum das mit dir und dieser Michèle nicht klappt, die wir über die Dichtwalds kennen«, wollte mein Bruder wissen.

»Tannenbaums!«, rief Dana.

»Dichtwalds!«, rief meine mame.

»Ah, genau«, sagte ich und beugte mich vor, um die flasch zurikzuholen, »also… das war so…« – ich begann, Zwiebel mit Ei auf ein schtik Matze zu streichen, was gar nicht so einfach war – »wir dachten, um Ruhe vor unseren Müttern zu haben, würden wir so tun, als hätte der schidech geklappt. Aber wie sich zeigte, hatten wir dann erst recht keine Ruhe mehr. Und darum haben wir beschlossen… ehm… uff« – ich wollte grepsn, konnte aber nicht, versuchte es trotzdem, nur mit halbem Erfolg – »…ja, dass der schidech nicht klappt.«

Dann drückte ich mir das mit Zwiebel und Ei beladene Matzenstück in den Mund, ohne richtig abzubeißen; ich chapte einfach arajn und tschmokte lojt. Links und rechz fielen weiße und gelbe Würfelchen herunter, was ich sejer lustig fand. Ich aß absichtlich wie ein chaser weiter.

Der uwnt im weiteren Verlauf, soweit rekonstruierbar, umfasste einen Weinkrampf meiner Mutter, die unter lojtm Geheul in ihrem schluf-zimer verschwand, verfolgt vom Rest der Sippe, die anschließend wie eine Horde polizaj-Psychologen vor verschlossener tir verhandelte.

Die draj Kleinen schauten verstört zwischen mir und dem Treiben im koridor hin und her.

Ich trank weiter.

Irgendwann kam meine mischpuche vollständig zum Tisch zurik. Sie guckten alle recht bejs und sagten, ich hätte mamenju, die behutsam auf einem schtul deponiert wurde, blutik balajdikt.

Mein Bruder eröffnete das Urteil, das der Familienrat darob gefällt habe: Ich müsse zum Rabbiner Wolf. Gleich übermorgen, nach dem zweiten seder. Denn so gehe es nicht weiter.

»Ich farschtaj nischt, ich farschtaj nischt«, chorchlte meine mame wieder und wieder, während sie leer vor sich hinstarrte und ich, schiker wi lot, aber bester schtimung, mein zimer bezog.

COMMUNICATION BREAKDOWN,
IT'S ALWAYS THE SAME

»Arajn!«, dumpfte es hinter der tir, an die ich geklopft hatte.

Das ofis von Rabbiner Georges Wolf mutete an wie eine Mischung aus Teenagerzimmer und Antiquitätenladen. An der einen want hingen draj Poster; eines listete die zwajunzwanzik hebräischen Buchstaben auf, in bunten farbn und mit niedlichen ojgn gezeichnet. Einige hatten sogar kleine Ärmchen, andere trugen eine jarmelke. Daneben wurde Neil Diamond als *The Jazz Singer* vorgestellt, während auf dem dritten Plakat ein Kampfjet der israelischen Luftwaffe über die Wüste donnerte. *Boeing F-15C/D*, stand in lateinischen Lettern darauf, gefolgt vom Wort *Baz* in hebräischen; der Falke.

Die want gegenüber war von unten bis oben mit antiken Schallplattenhüllen bedeckt, die in strenger ordenung über- und nebeneinander auf gekerbten Holzleisten ruhten. Einige zeigten Benny Goodman, einen weiteren jiddischen Musiker, mit seiner klarnet, die er mol vor seiner Brust hielt, mol zum oberen Rand des Covers reckte. Gut vertreten waren auch Shlomo Carlebach, Yaakov Shwekey und die Yeshiva Boys.

In den Ecken links und rechz der Schallplattenwand ragten zwaj große, schlanke lojt-schprecher, woraus alte Musik erklang; englisch singende frojen, mir unbekannt.

Rabbiner Wolf, ein stattlicher man von ungefähr finfunfinfzik jorn, mit grojsn, weit auseinanderliegenden blassblauen ojgn und dichtem, gepflegtem, noch fast ganz schwarzem bort, saß in der idealen Mittelposition der lojtschprecher an einem zarten Schreibtischchen, vor sich einen Stapel Pitabrote. Routiniert fuhr er mit einem schtik davon in eine große Schüssel Hummus hinein und steckte es sich in den Mund.

In Richtung der Musik weisend, gab er die Laute »Ämbwuf Fifdef!« von sich.

»Pardon?«, hob ich die Augenbrauen.

Rabbiner Wolf schluckte herunter und lachte: »Andrews Sisters!«

Ich zeigte ahnungslose Mimik.

»Sie kennen sie nicht?« Er bereitete das nächste schtik Pita vor.

»Tut mir leid.«

»Draj Schwestern aus Minneapolis. ›America's Wartime Sweethearts‹ genannt. Waren vom Dixieland der Boswell Sisters inspiriert. Von denen habe ich auch bfei Blppn.« Wolf hatte den Mund schon wieder voll, und ich folgerte, dass er zwaj Boswell-Sisters-Alben besaß.

Kauend zeigte der Rabbiner mit einem neuen schtik Pita auf den schtul vor sich. Ich setzte mich und er speiste gemütlich weiter. Ich betrachtete den tinef auf seinem Fenstersims: ein Erste-Hilfe-Kit der israelischen Armee, einen wachsverklebten, kerzenlosen chanike-Leuchter, einen Mini-Moses aus Porzellan mit erhobenen Armen, vor sich ein kleines, geteiltes Porzellanmeer, und ein speckiges Israel-Fähnchen.

»Nu, Herr Wolkenbruch!«, rieb sich Wolf fröhlich Krümel von den Händen. »Was machen wir mit Ihnen?«

»Ich weiß nicht.« Ich legte mein rechtes bejn über das linke.

»Sie wollen nicht heiraten! A katastrofe!« Er schien belustigt.

»Doch, eigentlich will ich schon.« Ich wechselte die bejner noch amol; nun lag das linke oben.

»Aber nicht die frojen, die Sie kennenlernen.«

»Nein.«

»Wi asoj?« Wolf faltete die Hände und schaute mir durchdringend, aber freundlich in die Seele.

»Weil… weil…«, versuchte ich mir eine halbwegs plausible Darstellung meiner Theorie zurechtzulegen, dergemäß der tuches der schikse eine größere Anziehungskraft besitze als der jiddische. Doch gerade einem Rabbiner gegenüber zeigte sich die Suche nach entsprechenden Argumenten als große Herausforderung.

»Weil Sie sich nicht verliebt haben!«, lachte Rabbiner Wolf und machte sich wieder über seinen Hummus her. Es entstand eine weitere Verpflegungspause. Die Andrews Sisters sangen dazu:

Bei mir bist du schoen, please let me explain
Bei mir bist du schoen means you're grand
Bei mir bist du schoen, again I'll explain
It means you're the fairest in the land

»Wussten Sie, dass die Nazis glaubten, dieses Lied stamme in seiner ursprünglichen Version aus Süddeutschland, und deshalb ganz stolz darauf waren?«, fragte Wolf. »Und als sie dann merkten, dass ›schejn‹ nicht bairisch ist für ›schön‹, sondern jiddisch, und der Komponist a jid, war es ihnen furchtbar peinlich. Idioten.«

I could say bella, bella, even say wunderbar
Each language only helps me tell you how grand you are
I've tried to explain, bei mir bist du schoen
So kiss me, and say you understand

»Wo waren wir!«, rief Wolf dann. Er hatte die Hummus-schüssel jetzt blank gegessen.

»Ich habe mich nicht verliebt«, sagte ich.

»Genau, Sie haben sich nicht verliebt. Und deshalb mein rabbinischer Rat: Sie müssen sich verlieben!«

»Ah«, machte ich.

War er meschigeh?

»Sie werden also – das ist mein zweiter rabbinischer Rat – nach Israel fliegen«, sagte Wolf. »Da verlieben Sie sich noch am Flughafen.«

»Israel?«, fragte ich verwirrt.

»Ja, Israel. Hören Sie, die Andrews Sisters verzeihe ich Ihnen, die waren ja nicht amol jiddisch, aber Israel sollten Sie schon kennen.«

»Ich kenne Israel!«, verteidigte ich mich. Ich war aller-dings schon draj jorn nicht mehr dagewejn – eine ejbigkajt für a jid. Wir hatten Verwandte in Tel Aviv, Onkel Jona-than, den Bruder meiner mame, und seine froj Malka. Er hatte irgendetwas mit Beratung zu tun, sie irgendetwas mit Yoga. Hierzu ließ sich meine mame anlässlich unseres letzten Besuches überreden, wobei sie der versammelten Runde ihre ungenügende Kontrolle über gewisse Körperfunktionen demonstrierte. Seitdem limitierte sie Aufenthalte in Tel Aviv radikal.

Aber wie dem auch sei, ich kannte Israel.

»Sejer git, sejer git, als jid muss einem Israel ein Begriff sein«, amüsierte sich Wolf. »Ich habe übrigens ein passendes Lied für Sie. Led Zeppelin. Kennen Sie Led Zeppelin?«

»Auch nicht.«

»Oj wej, oj wej«, winkte Wolf ab. »Er kennt Led Zeppelin nicht. Kein Wunder, dass Sie kein mejdl finden!«

Ich fragte mich, wie der Rabbiner der Israelitischen Religionsgesellschaft dazu kam, Musik von Unbeschnittenen zu hören.

Behende, geradezu jugendlich, federte er aus seinem Sessel und machte sich an seiner want mit den Platten zu schaffen. Die Andrews Sisters verstummten mitten im Refrain. »I've tried to expl–«, schafften sie noch, dann verließ die Grammophonnadel die schpejten Dreißigerjahre.

Nach einigem Knistern erfüllte sich der Raum mit einer harten, aber melodischen Gitarre und einer charaktervollen Stimme.

Hey, girl, stop what you're doin'
Hey, girl, you'll drive me to ruin
I don't know what it is that I like about you, but I like it
a lot
Won't let me hold you, let me feel your lovin' charms

»Drive me to ruin, hehe«, chuchemte Rabbiner Wolf und kehrte zum Tisch zurik.

Communication Breakdown, it's always the same
I'm having a nervous breakdown, drive me insane

»Schon am Flughafen fängt das an!«, rief Wolf fröhlich und klatschte die flachen Hände auf den Tisch, so dass die leere Schüssel ein wenig aufsprang.

Hey, girl, I got something I think you ought to know
Hey, babe, I wanna tell you that I love you so
I wanna hold you in my arms, yeah
I'm never gonna let you go, 'cause I like your charms

Wolf drehte mit der Fernsteuerung die Musik leiser, schaute mich ernst an und sprach feierlich: »Also, junger man. Sie gehen nach Israel, verlieben sich, und dann haben wir diese sach aus der Welt geschafft. Asoj gajt es. Freuen Sie sich, Herr Wolkenbruch!«

Er angelte einen halwa-Riegel aus der Tasche seines Jacketts.

Und ich versuchte, mich zu freuen.

Als ich nach Hause kam, war niemand da. Auf meinem bet lag eine Flugkarte. Zusammen mit zwaj exakt gebügelten nostichlech.

Mir ward etwas wej ums harz und ich packte meine sachn.

DAS LEIBCHEN ROCH EBENFALLS
NACH RÄUCHERSTÄBCHEN

Die Art, wie der El-Al-Kapitän im Endanflug die Boeing 757 in eine Hundertachtzig-Grad-Kurve warf, um den Flughafen Ben Gurion vom Landesinneren her anzufliegen, ließ keinen zwajfl daran, dass er bei der Luftwaffe Karriere gemacht hatte und es gewohnt war, von einem Moment auf den nächsten von den Radarschirmen zu verschwinden.

Kurz darauf setzte die Maschine hart auf, und wie stets in diesem Moment stieg aus meinem Innersten ein unerklärlicher, heimatlicher Seufzer empor. Sobald a jid israelischen Boden betritt, kommt er zu Hause an – auch wenn er nicht hier geboren ist und die Müllberge, die hupenden Autos und die kontaktfrejdiken Menschen einen harten Kontrast zu seiner Schweizer Geburtsstätte bilden, und selbst wenn es ganz angenehm ist, die hiesigen politischen, wirtschaftlichen und sozialen Probleme vier Flugstunden entfernt zu wissen.

Meine mame betrachtete Israel eher sachbezogen: Es sei, sagte sie, der einzige Ort auf der Welt ohne Antisemiten.

Mit singenden Reifen rollte das Flugzeug aus und kam nach einer kurzen Rumpelfahrt über die Taxiways auf dem Vorfeld zu stehen. Diverse Wartungsfahrzeuge und kleine Traktoren mit endlos vielen Gepäcktrolleys näherten sich aus allen Richtungen; wie Würmer, die zu einem Aas hinstreben. Beim Verlassen der Maschine spürte ich die heiße, feuchte Luft, die durch den Spalt zwischen Flugzeug und Fingerdock drang.

Was der Zweck meiner Reise nach Israel sei, wollte die Zollbeamtin wissen, ohne mich anzuschauen. Sie war hipsch und schien einen schlechten tog zu haben.

Ich besuche Verwandte, sagte ich.

Wo die wohnen.

In Tel Aviv.

Wie sie heißen.

Jonathan und Malka Eisengeist.

Ich bekam einen Stempel und einen mürrischen blik, holte meinen Koffer am Gepäckband und trat in die Ankunftshalle, wo mich Onkel Jonathan und Tante Malka winkend erwarteten. Bejde trugen weite, helle Kleider und das hor lang und wirkten wie immer sejer fröhlich. Obwohl ich es überhaupt nicht war, kam ich nicht umhin, mich schon von weitem von ihrer herzlichen schtimung heben zu lassen.

Jonathan und Malka umarmten mich je zwaj mol, wobei mir in ihren Kleidern ein intensiver Geruch von Räucherstäbchen auffiel.

Malka, in Jerusalem geboren, sagte auf Hebräisch, sie freuten sich, mich zu sehen.

Groß geworden sei ich, sagte Jonathan auf Zürichdeutsch, aber mit israelischem R. Und eine lustige briln hätte ich.

Und eine lustige briln hätte ich, fügte Malka wieder in ihrer Muttersprache an.

Ich sagte, ich freue mich auch. Und das mit der briln habe Jonathan schon gesagt.

Sie seien bereits instruiert, sagte Jonathan grinsend, nun auf Hebräisch. Er habe schon zwanzik heiratsgierige frojen gefunden; eine dicker als die andere.

Ich musste sejer derschrokn dreingeschaut haben, denn bejde lachten, und Malka knuffte ihren man liebevoll in die Seite.

Die Wahrheit, erklärte Onkel Jonathan auf dem Weg zum ojto, liege anders; er halte die Bemühungen seiner Schwester in der sach für schön, in der Ausführung jedoch für etwas überspannt. Seiner Meinung nach sei ich in der Lage, ohne fremde Hilfe eine Partnerin zu finden. Aber ich solle jetzt erst amol etwas essen, mich ausruhen und dann mit ihnen meditieren. So käme ich bestimmt etwas zur Ruhe.

Onkel Jonathan war ebenso fromm aufgewachsen wie meine mame, nahm aber gegenüber den 613 mizwojs eine zunehmend großzügige Haltung ein. Oder eine yogische, wie er sich ausdrücken würde.

Meine mame kritisierte diese Entwicklung leidenschaftlich, betrachtete ihren Bruder, der nach wie vor eine jarmelke trug, aber allem Anschein nach immer noch als geeignetes Basislager für meine schidech-Mission im Gelobten Land.

Wir bestiegen einen beigefarbenen Mazda, der neu aussah, aber bereits israelisch modiziert war; konkret mit einer

Anzahl leerer PET-Flaschen sowie den typischen Plastik-beuteln mit extralangen Henkeln, die über die bejden vorderen Kopfstützen gehängt und mit opfal gefüllt waren. Obwohl ich diese Erfindung schon kannte, verstörte sie mich aufs Neue; es war mir unerklärlich, wie man in einem schönen neuen ojto einfach opfal-sakn aufhängen konnte, die dann vor dem kop der Fondpassagiere herumbaumelten.

Nach diesem kurzen schweizerischen Aufbegehren machte ich es mir auf der Rückbank bekwejm. Malka stellte noch einige Fragen; nach der dritten schon schloss ich meine ojgn und bei der vierten überlegte ich, sie habe sie doch bereits gestellt, und da schlief ich auch schon ein. Von der Autofahrt nach Tel Aviv bekam ich nichts mit.

Malkas und Jonathans Haus war ein kleines Paradies im Norden der schtot, umstanden von üppigster Vegetation. Riesige Blätter und Blüten in allen farbn nahmen dem Besucher die Sicht auf die Nachbarhäuser, wodurch er sich im tiefen Urwald wähnte. Golda, der alte und äußerst mitteilungsfreudige papugaj von Malka, den sie von ihrer Mutter geerbt hatte, tat mit seiner Anwesenheit sein Übriges dazu; er schrie pro tog mindestens drajsik mol: »Schalom!«

Während ich im Gästezimmer im Obergeschoss meinen Koffer auspackte, kam Tante Malka arajn und fragte mich, ob ich bekwejme Kleider dabeihätte. Ein blik auf die strikt weiße und schwarze Auslegeordnung auf dem bet beantwortete ihre Frage.

»Oj«, sagte sie, verließ das zimer und kehrte kurz darauf

mit einigen farbigen Textilien und einem por Sandalen zurik. Es handelte sich um die Kleidung, die in diesem Haus
beim Meditieren und Yogapraktizieren und vermutlich
überhaupt getragen wurde. Es gab auch ein gelbes Unter-
leibchen mit einem seltsamen Zeichen darauf, das ich verwundert betrachtete.

Dies sei ein Om, erklärte Tante Malka, während sie
meine hemdn und hojsn wieder im Koffer verstaute.

»Was ist ein Om?«, wollte ich wissen.

Om sei der Urlaut der Welt, lautete die Antwort, mit der
ich nichts anzufangen wusste, da weltliche Urlaute in meiner Wahrnehmung hebräisch waren.

»Om ist aber nicht hebräisch«, sagte ich.

»Es ist eine Sanskrit-Silbe. Nach hinduistischem Ver-
ständnis ist aus ihrem Klang das Universum entstanden«,
sagte Tante Malka. »Und das Om-Zeichen stellt diese Silbe
dar.«

Sie sieht immer mehr aus wie Bette Midler, dachte ich,
während ich ihr zuhörte.

»Das Shirt stammt übrigens von Jonathan. Als er noch
jung und schlank war. Also, zieh dich um, wir warten unten
im Wohnzimmer auf dich.«

Sie verließ den Raum.

Das Leibchen roch ebenfalls nach Räucherstäbchen. Wie
alles hier.

Nachdem ich auch noch seltsame hellblaue weite hojsn
angezogen hatte, blickte ich in einen schpigl und gelangte
zur Ansicht, dass ich mit dieser Aufmachung und meiner
jarmelke aussah wie einem jüdischen Zirkus entsprungen.

Unten im Wohnzimmer gab es kein Sofa und keine Sessel, dafür viele farbige Tücher an den Wänden und Kissen am Boden, die in einem Halbrund angeordnet waren und auf denen schon einige Personen mit geschlossenen ojgn Platz genommen hatten. Aus einem lojt-schprecher, den ich nicht sah, drang fremdartige Musik; ein Saiteninstrument, das dauernd die Töne verbog. An der Stirn des Raumes stand eine unheimliche Statue mit Elefantenkopf. Davor, ebenfalls auf einem Kissen, saß Onkel Jonathan, die bejner gekreuzt und die Hände nach oben auf die Knie gelegt, wobei er Daumen und tajtfinger zu einem Kreis geschlossen hatte. Der rojch von zwaj brennenden Räucherstäbchen zog in schweren, bedächtigen Fäden durch das zimer und unterstrich den tempelhaften Eindruck.

Ich ließ mich auf einem freien Kissen nieder und studierte die Anwesenden der Reihe nach. Auch sie saßen mit gekreuzten bejner und sich berührenden Fingern: Da war eine sejer beleibte, selig wirkende ältere Dame mit langem, weißem hor und orangefarbenen Kleidern und rechz von ihr ein kleiner, knochiger man im gleichen elter und Aufzug. Auch er lächelte verzückt. Neben ihm befand sich eine junge froj, die der älteren glich und anscheinend ihre Tochter war.

Und neben der dicken jungen froj saß eine schlanke junge froj mit krausem schwarzem hor und oliv-brojner Haut; von einer solch offenen schejnkajt und zugleich betörenden Zerbrechlichkeit, dass ich einen Augenblick glaubte, es mit einer orientalischen Ausgabe von Laura zu tun zu haben. Gebannt wanderte mein ojg auf ihrem kerper herum, erhaschte die kleine Schulter, schwebte zum Ansatz der für ihre zarte Figur reichlich drallen bristn herab, sprang beschämt zu ihren schwungvoll gezeichneten Brauen hoch, tänzelte auf den dichten Wimpern herum, schlängelte sich schließlich zu ihren fis herab und um die nackten, ewig langen bejner herum und wieder zu ihrer geheimnisvollen Ellenbeuge hinauf –

Als hätte sie meine Belauerung gespürt, öffnete die Wüstenkönigin ihre ojgn und lächelte mich ebenso chuzpedik wie herzlich an. Ich sah sofort awek.

Jonathan schaltete die Musik aus und betätigte einen kleinen Gong. Malka hatte sich inzwischen neben ihn gesetzt und richtete sich, wie der Rest der grupe, auf dieses Zeichen hin frisch auf den Kissen ein. Sie lächelte mir zu, bevor auch sie die ojgn schloss und ich es ihr gleichtat.

»Schalom!«, sagte Jonathan.

Ich wollte auch »Schalom« sagen, doch da niemand etwas sagte, schwieg ich.

Seltsamer Haufen, dachte ich; formen Kreise mit den Fingern und reagieren nicht, wenn man sie anspricht.

Im Schalom stecke ja auch das Om, begrüßte Jonathan die grupe, darum wolle man nun draj mol das Om singen.

Beim zweiten Om sang ich leise mit und kam mir ein bisschen dumm vor; vor allem fragte ich mich, wie ich die Verbindung von Schalom und Om je wieder aus meinem kop bringen sollte.

Dann kündigte Jonathan eine Reise durch die Chakras an. Ich fragte mich, ob die grupe gemeinsam wanderte, hielt ich die Chakras doch für ein Gebiet wie die Alpen.

Die Chakras seien Energiezentren in unserem Körper, erklärte Onkel Jonathan jedoch; es gebe Tausende davon und sibn hauptsächliche. Durch diese wolle man nun gemeinsam reisen.

Kurz überlegte ich, ob meine mame nicht doch recht hatte mit ihrer Einschätzung, dass ihr Bruder ziemlich meschigeh sei.

Die Reise begann im sogenannten Wurzelchakra. Um dessen genaue Lage zu beschreiben, wählte Jonathan eine Detailtiefe, die mich beschämt den otem anhalten ließ. Als hätte er es bemerkt, erinnerte er die grupe daran, dass ein tiefer, regelmäßiger otem unabdingbar sei.

Ich war froh, dass man bald zum Nabelchakra überging, doch als ich vernahm, dass hier Sexualität und Zeugungskraft ihren Amtssitz hätten, und ich mir überlegte, dass keine zwaj Meter von mir eine helisch ansprechende junge froj sich im gleichen Moment ebenfalls mit ihrem Nabelchakra beschäftigte, erfasste mich eine Aufregung, die vermutlich das exakte Gegenteil dessen darstellte, wofür man sich hier zusammengefunden hatte.

Als ich aus der Höhe meiner Phantasien wieder zurikkehrte, erwähnte Jonathan gerade, dass der Meditierende bei sich bleiben solle und nicht ins Schwelgen entschweben, und ich fühlte mich ertappt. Zudem hatte ich offenbar ein Chakra verpasst, denn man war zwischenzeitlich beim Herzchakra angelangt.

Wir sollten uns auf unser Herz konzentrieren, sagte Onkel Jonathan, auf den Raum um unser Herz herum; was dieser für eine Weite habe, was für eine farb, was für einen

Klang. Seine Worte lösten einen feinen Stich aus in meiner Brust und ich fühlte mich dort überhaupt nicht weit und farbig; und als Klang kam mir nur ein brechender Ast in den Sinn.

Ich wurde plizling sejer trojerik.

Über das Halschakra gelangten wir über das Stirnchakra zum Kronenchakra, doch ich war nicht mehr recht bei der sach; und dann war die Meditation auch vorüber und die grupe nahm, wie es sich für Israelis gehört, eine munter zwitschernde Unterhaltung auf.

Ich hingegen blieb schtil und musste wohl recht verstört vor mich hingestarrt haben, denn nun kam Malka, legte einen Arm um meine Schulter und fragte, was los sei; ob es mir nicht gutgehe.

Ich kramte lustlos in meinem Wortschatz herum und fand nichts Passendes.

Malka lächelte und bat mich auf die fis, für einen Spaziergang in ihrem gortn.

Erst gingen wir einfach schweigend nebeneinanderher, doch dann, als hätte G't mit seinem sonnigen Finger ein steinernes Tor in mir aufgestoßen, brach alles aus mir heraus: die zures mit der mame und ihrer schidech-Kampagne; mit meinem tate, der immer nur im *Tachles* lese, anstatt ihr Einhalt zu tun; mit den Zürcher Jüdinnen, die nicht so aussähen wie die hipsche Schwarzhaarige da hinten – ich wies mit dem Daumen zum Haus und Tante Malka lachte; Michal, ja, die sei eine richtige chamuda –; und mit den anderen Zürcherinnen, die wohl so aussähen, aber leider keine

Jüdinnen seien. Ich erzählte von Laura und dass ich sie kennenlernen wolle, aber auch meine mame nicht verletzen, und von der mangelnden farb in meinem Herzen und dass ich noch nie mit einer froj intim gewejn sei. Als ich alles erzählt hatte und nichts mehr anzufügen wusste, setzte ich mich auf einen bemalten bojm-Strunk und wollte nie wieder aufstehen, sondern ebenfalls morsch werden.

»Hm«, sagte Malka, die neben mir stehen geblieben war.

Sie schaute ein wenig in den himl und sagte dann: »Manchmal glauben wir, die Welt habe sich gegen uns verschworen. Aber schpejter, wenn wir zurikblicken, erkennen wir, dass alles zu unserem Besten gewejn ist. Wir haben es bloß nicht erkannt.«

Ich schaute zu ihr auf und in ihre Worte hinein, fand aber darin nicht die gewünschte Erleichterung.

Malka lächelte und sagte weiter: »Du wirst bald deine Antworten finden. Komm, wir gehen zu den anderen.«

Wir kehrten ins Haus zurik, und ohne dass ich etwas dafür getan hätte, setzte sich Michal mit einer Tasse tej neben mich, stellte Fragen, hörte zu, beantwortete meine Fragen, machte Späße und wurde ernst, wollte wissen, ob ich Hunger hätte, schlug einen Ausflug zu Hakusem vor, Tel Avivs bestem Falafelrestaurant, fuhr uns hin in ihrem alten, zerbeulten und mit Wüstensand verklebten Subaru Justy, machte weiter Späße und wurde abermals ernst, als wir nach dem Essen mit je einer Dose eiskaltem Goldstar-Bier bei einem pittoresken sun-sezn-sech am Strand spazieren gingen und ich zum zweiten mol meinem Herzen den Raum gab, alles freizulassen, was es so verzweifelt gehor-

tet hatte. Und nun kamen auch die farbn darin zum Vorschein;

ein Grün, so grün wie die Engadiner Tannen;

ein Rot, so rot wie die israelischen Tomaten;

ein Blau, so blau wie die See vor Tel Aviv;

ein Gold, so golden wie Michals Haut;

und ein Weiß, so weiß wie ihr lachender Mund, der meinem nun näher war, als je ein weiblicher es gewejn, und als
unsere lipn sich schließlich trafen, im uwnt-wint am Meer,
und dieser Michals schwarze, nach sun duftende Locken
kitzelnd in mein punem hineinwehte, da erinnerte ich mich,
nur kurz noch, an Malkas Worte, dass die Welt sich keines-
falls verschworen hatte.

Und es fielen zwaj fast leere Dosen Goldstar in den war-
men Sand.

ZWEITER TEIL

Nischt ale zures kumen fun himl.

Jüdisches Sprichwort

Heimbringen! Vorstellen!
Chassene machen!

Am nächsten tog war alles anders.

Seit ich die ojgn aufgeschlagen und neben mir die verwuschelte Michal erblickt hatte, war alles in mir schöner und wahrer geworden. Und noch nie hatte mir etwas so gut geschmeckt wie der israelische Salat, den sie für uns zum frischtik zubereitete.

Michal wohnte in einem der typischen Tel Aviver Bauhaus-Apartmenthäuser, im obersten schtok und mit etwas Sicht auf das Mittelmeer, wo die sun kräftig herumglitzerte. Ein reptiliengrüner Armeehelikopter knatterte die Küste entlang, von der Straße herauf hupte es in zahlreichen Tonlagen, und unter dem winzigen Tisch auf dem winzigen Balkon spielten Michals gebrojnter fus und mein schneeweißer miteinander. Wir stießen unsere gopln in Gurken-, Paprika- und Tomatenwürfelchen und priesen das lebn.

Es war der ideale Moment für einen Anruf meiner mame.

»Jo«, meldete ich mich mit vollem Mund, nachdem ich im Kleiderhaufen vor Michals bet mein Handy gefunden hatte.

Obwohl er ihr so viel zures bereitet hatte, freute sich die mame, den sininke dranzuhaben.

Wie das Wetter sei!

Das Wetter sei großartig; ich sei schließlich in Israel, sagte ich und trat zurik in die sun.

Und wie das Essen sei!

Das Essen sei großartig; ich sei schließlich in Israel, sagte ich und steckte mir eine Olive in den Mund, nachdem ich sie in eine kleine Schüssel Sesambrei getunkt hatte.

»Und hast du a mejdl kennengelernt?«

Dem sei so, bestätigte ich, ein großartiges, und legte meine hant auf Michals bloßen Oberschenkel, den sie mir einladend entgegenschob.

Nun geriet die mame ganz aus dem hajske: »Gwald geschrign!«, rief sie wieder und wieder erfreut.

Michal, die von dem Telefonat einzig mitbekam, dass der lojt-schprecher meines Handys sich überschlug, machte ein amüsiertes punem.

Meine mame fajerte sodann eine Reihe von Fragen und Anordnungen auf mich ab: Name! Alter! Telefon-numer der Mutter! Heimbringen! Vorstellen! Chassene machen!

Das sei alles viel zu fri, antwortete ich, und vermutlich auch nicht angebracht.

Meine Mutter widersprach heftig: Ich solle nicht tun wi a bok, sie habe nun lange genug gewartet, ach was: gelitten; außerdem sei ich auch nicht mehr der Jüngste, sondern genau genommen weit über ein marktgerechtes elter hinaus, und ich solle nicht länger schmonzes reden, sondern dieses mejdl jetzt nach Hause bringen, diese – wie sie überhaupt heiße?

»Michal«, grinste ich Michal an.

Die Gemeinte lüftete ihr T-Shirt und grinste zurik.

Rabbiner Wolf hatte nicht gelogen.

Also, fuhr meine mame fort, ich solle jetzt diese Michal nach Hause schaffen, damit man nun ENDLICH chassene machen könne. Oder ob sie, die mame, in den nächsten aeroplan steigen und vor Ort nach dem Rechten sehen müsse?

Ich bat meine Mutter um eine sekund Pause und fragte Michal, was das zwischen uns eigentlich sei, wie man das nenne; um eine Ehe handle es sich ja vermutlich nicht, aber worum denn dann?

Michal zog ihr T-Shirt ganz aus und informierte mich, bei unserer Verbindung handle es sich um a schtup. Dann führte sie meine hant an ihre bloße, feste brist.

Ich vermeldete meiner mame vergnügt, die Bekanntschaft mit Michal falle lediglich unter die Kategorie schtup; ein Besuch erübrige sich daher höchstwahrscheinlich.

Darauf kam erst amol gar nichts mehr.

Dann, wie bei einem Gewitter, dem einzelne dicke Tropfen vorausgehen, stieß meine mame zunächst einige Wortanfänge aus: »Ab–, wa–, da–«, würgte sie, um schließlich tief Luft zu holen und sich in einem noch nie da gewesenen ufbrojs zu ergehen: Ich sei a nit-guter und ihr umkum, rief sie, ich mache meine mischpuche zu schpot und diese Michal sei a nafke und a schlumpe und dieses Tel Aviv an ejnzik schandhojs und ihr Bruder, der im Übrigen klare Anweisungen erhalten habe, nichts als a schtik drek!

So ging das weiter; ich musste dabei recht in di fojstn lachn.

Schließlich sagte ich, die Verbindung sei sejer schlecht, fragte: »Wus?«, und dann: »Hallo?«, und legte auf, um mich wieder Michals sonnenwarmem kerper zu widmen.

Oj, wie sage ich das bloss
Ihrer mame

Nachdem ich mich von Michal verabschiedet hatte, was eine gute schtunde gedauert hatte, stolzierte ich gemächlich und ohne ein genaues Ziel im vormittäglichen Tel Aviv herum. In einem Straßencafé voller junger mentschn trank ich einen frischgepressten Orangensaft und bewunderte die schejnkajt der vorüberziehenden israelischen Damenwelt; nun mit ganz anderem ojg.

Ich wähnte mich neuerdings als ehrenwertes mitglied eines Geheimbundes, und dass ich diese Erfahrung nicht als verheirateter man gemacht hatte, ließ sie mich, da ich damit schwer gesündigt hatte, als umso aufregender wahrnehmen. Endlich hatte ich eine brik zur Weiblichkeit geschlagen. Direkt in ihre Mitte.

Ich war sejer zufridn. Auch wenn Michal mir ihre numer nicht gegeben und mich nicht um die meine gebeten hatte.

Offenbar war so das Wesen des schtup.

Was für einen reichen, saftiken Strauß an Einsichten das lebn doch bereithält!

Mein Handy klingelte und zeigte den Namen *Rav Wolf*.

»So, Herr Wolkenbruch, haben Sie Israel gefunden?«, fragte der Rabbiner. Im Hintergrund lief eine seiner Swing-

Platten, und wenn ich mich nicht täuschte, war er auch schon wieder am Essen.

»Ja«, sagte ich.

»Und auch a froj?«

Ich zögerte. »Ja. Aber –«

»Was aber? Wo gibt es in der libe ein Aber?«

»Ich glaube… es… ich glaube, es ist nicht ganz, was Sie gemeint haben.«

Es entstand eine Pause und ich nahm durch den hellgrünen Strohhalm einen schlung von meinem Orangensaft.

Dann Wolf: »Oj wej, Herr Wolkenbruch… da habe ich wohl etwas zu gute Werbung gemacht für Israel… meinen Sie damit, was ich glaube?«

»Wahrscheinlich schon.«

»Oj, oj, oj… das ist nicht gut, das ist nicht gut…«

Ich teilte seine Meinung überhaupt nicht.

»Oj, wie sage ich das bloß Ihrer mame«, jammerte Wolf herum.

»Das müssen Sie nicht. Sie weiß schon Bescheid.«

»Oj!« – nun lojt – »Wollen Sie Ihre mame zunischt machen?«

Ich wusste nichts zu entgegnen, also nahm ich noch etwas Orangensaft, und weil das glos dadurch ganz geleert wurde, erzeugte ich mit dem Strohhalm ein ungezogenes Blubbergeräusch.

Vermutlich war das ein Ja.

Ich fühlte mich ungemein rebellisch.

»Herr Wolkenbruch!«, rief da der Rabbiner auch schon. »Nun reißen Sie sich a bisl zusammen! Jetzt, jetzt… jetzt vergessen wir diese, diese sach da, und Sie suchen sich eine *frume*« – er dehnte es in alle Richtungen – »junge froj, mit der Sie einfach amol etwas trinken gehen, *einfach amol etwas trinken!*, ganz normal. Und meiden Sie diese farfir-lichtlech! Die fardarbn Sie nur!«

»Mm«, gab ich Einverständnis oder wenigstens nur schwachen Widerstand vor, drückte damit vor mir selbst jedoch vielmehr den Genuss aus, den das farfir-lichtl Michal in mir ausgebreitet hatte wie ein lefl den Honig auf dem brojt.

Wolf kündigte an, es würden sich einige *anständige* – auch dies betonte er – israelische mejdlech bei mir melden; ich solle das Telefon eingeschaltet lassen.

Ich verabschiedete mich, schaltete das Telefon aus und spazierte zu Jonathans Haus.

Mein Onkel und seine froj erwarteten mich mit aufgeräumten, wissenden Mienen und einer großen Schüssel Couscous voller Gemüse und Pouletstreifen. Die sun brannte durch die dichten Blätter hindurch und das Essen schmeckte vorzüglich, wie mir überhaupt alles vorzüglich schmeckte an diesem tog; auch der Duft der schtot: eine fordernde Mixtur aus Dieselabgasen, Waschsalons, Falafel und Hinterlassenschaften der vielen Hunde, mit denen hier keiner Mühe hatte. Auch ich hatte am Morgen beim Spazieren einen hinter dem ojer gekrault.

Es war eine andere Welt. Auch jüdisch, aber anders.

Auf ein mol fiel es mir schwer zu glauben, dass die Zürcher jidn ebenso jidn sein sollen wie jene hier in Tel Aviv.

Nach dem Essen räumte Malka das Geschirr ab und ließ Onkel Jonathan und mich allein am Tisch, nicht ohne uns vorher noch eine Kanne tej mit frischer Minze gebracht zu haben. Jonathan, der sein Geld mit Persönlichkeitsberatung verdiente, schenkte uns ein und fing an, meine Persönlichkeit zu beraten: »So, Motti, verrate mir mal – was bist du eigentlich für ein Jude?«

Ich schlürfte den dampfenden tej und schaute ihn fragend an.

Er formulierte anders: »Welche Art, jüdisch zu sein, siehst du für dich?«

Ich überlegte lange und sagte: »Eine, bei der man schabbes begeht und chanike feiert und mit frojen wie Michal zu tun hat, die einem aber ihre Telefonnummer geben. Während die eigene Mutter dafür nicht dauernd anruft. Gibt es diese Art?«

Jonathan lächelte und überlegte auch. Dann sagte er: »Diese Art gibt es. Aber es gibt sie nicht gratis. Es ist nicht die jiddischkajt, in der du groß geworden bist. Deine mame hat sich übrigens schon zwaj mol gemeldet heute. Sie ist überhaupt nicht glücklich.«

Ich überlegte weiter. Dann fragte ich: »Was ist denn der prajs für die jiddischkajt, die ich mir wünsche?«

Nun überlegte Jonathan wieder. Der papugaj warf einige »Schalom!« ein.

»Dass du deinen eigenen Weg gehst«, antwortete Jonathan. »Nicht den deiner Mutter.«

Den eigenen Weg gehen, nun sagte es auch noch mein Onkel.

»Meine Schwester ist eine gute froj«, fuhr er fort, »aber wenn sie sich etwas in den kop gesetzt hat, gibt es nichts anderes mehr.«

»Schalom, Schalom, Schalom!«, krähte der papugaj im Hintergrund.

»Ich weiß nicht«, sagte ich, während ich mit dem tej-lefl spielte. »Ich weiß nicht, welcher mein Weg ist.«

»Bist du sicher?«, fragte Onkel Jonathan, legte seine fis auf den Tisch und verschränkte die Hände hinter dem kop. »Du hast dich doch gestern Abend auf deinen Weg begeben?«, grinste er.

Wieder fielen mir einige der mit Michal verbundenen Empfindungen, Worte und Berührungen ein und erinnerten mich daran, wie großartig ich mich heute fühlte. Und ich wusste, dass ich eine tir aufgestoßen hatte, die ich nicht mehr würde schließen können; weder ich noch sonst wer.

Schpejter rief ich Michèle an, nachdem ich all die verpassten Anrufe von diversen israelischen numern sowie finf von *Mame* gelöscht hatte.

»Hallo, Motti«, sagte Michèle.

»Hallo. Ich bin in Israel«, sagte ich.

»Ferien?«

»Nein. Ich soll mich verlieben. Order von Rav Wolf.«

»Und, hat's geklappt?«

»Nu ... a bisl.«

»Du klingst anders«, sagte sie nach kurzem Schweigen. Ich antwortete nicht.

Nach einem weiteren Augenblick fragte Michèle ein bisschen schockiert und ein bisschen neugierig: »Hast du ... hast du ...«

»Ich habe«, antwortete ich schtolz.

»Und?«, fragte Michèle; jetzt nur noch neugierig.

Ich schwieg weiter.

»Kannst es mir ja dann erzählen, wenn du wieder hier bist.«

Ich schwieg noch immer.

»Kommst du wieder?«

Die Frage hatte ich mir noch gar nicht gestellt.

Wollte ich überhaupt zurik zu einer Mutter, die mir den offenen schidech-Krieg erklärt hatte, und zu einem Vater, der im Glauben lebte, ihrem Regime mit ein paar scherzhaften Bemerkungen ausreichend entgegenzutreten?

Zurik zu einem Kleiderschrank, der mir ausschließlich Schwarz und Weiß bot, und zurik zu einer Gemeinde, in der, wie Yossi mir erzählt hatte, bereits die Vermutung herumgereicht wurde, ich sei a fejgele?

Da fielen mir wieder Onkel Jonathans Worte ein. Den eigenen Weg zu gehen, überlegte ich, heißt wohl nichts anderes, als sich den Dingen zu stellen, die einem begegneten. Nicht zu versuchen, sie zu umschleichen. Nicht vor ihnen stehen zu bleiben. Sondern durch die Schwierigkeiten hindurchzumarschieren.

Ich versprach Michèle, am Sonntag wie gebucht den aeroplan zurik nach Zürich zu nehmen.

Michèle freute sich und gab unumwunden zu, dass sie sich weniger auf meine Gesellschaft freue als auf meine Schilderung des körperlichen bagegenisch zwischen man und froj.

»Schalom, Schalom, Schalom!«, krähte der papugaj im Hintergrund.

Nu, wus tit a jid?

Die restlichen teg in Israel brachte ich damit zu, am Strand spazieren zu gehen, mit allen möglichen Leuten Goldstar zu trinken, abends mit Jonathan und Malka über das Judentum, die Selbstverwirklichung und die libe zu diskutieren und noch amol an ihrer wöchentlichen Meditationsgruppe teilzunehmen. Michal erschien leider nicht dazu.

Am frajtik fuhr ich mit Tante Malka in die Innenstadt, um eine Jeans zu kaufen sowie einige andere Kleidungsstücke, »damit du nicht aussiehst wie ein jeschiwe-bucher«, wie Malka sich ausdrückte. In den schicken Läden an der Schenkin-Straße traute ich mich anfangs nicht recht, nach den farbigen Teilen zu greifen, sondern wählte instinktiv schwarze oder weiße sachn. Malka nahm sie mir belustigt wieder weg und empfal mir stattdessen abenteuerliche Teile in Blau, Gelb und Grün. Am Schluss waren wir bejde zufridn mit dem Inhalt meiner Einkaufstaschen.

Das schmattes-gescheft, in dem wir zuletzt gewejn waren, lag ganz in der Nähe von Michals Wohnung. Ich schlug vor, doch »hier in der Nähe« etwas trinken zu gehen, ich hätte dort »ein nettes Café« entdeckt. Tante Malka lachte, als sie das hörte, und fragte: »Das Café Michal?«

Sie begleitete mich gern und wir aßen direkt gegenüber

Michals Haus ein Eis. Doch auch hier war sie nirgends zu sehen. Ich war etwas geknickt.

Tante Malka verstand es, mich zu trösten, indem sie offenherzig von ihrem ersten Liebeserlebnis berichtete. In ihrem Militärdienst war es gewejn; ein junger schöner Leutnant, während einer Nachtübung. Sie hatte danach die ganze zajt gehofft, er würde sie noch amol in sein Zelt bitten. Viele wochn lang schlief sie jeden uwnt mit diesem Wunsch ein, doch er wurde nicht mehr erfüllt. Dafür sah sie den schönen Leutnant schließlich vor dem Wochenende Arm in Arm mit einer anderen in einen Armeebus einsteigen.

Am letzten uwnt tranken Jonathan, Malka und ich je draj große Dosen Goldstar und eine Flasche israelischen Wein vom Berge Hermon, und der Höhepunkt des ohnehin schon lustigen Abends fand sich darin, wie Jonathan meine Mutter imitierte, was ihm ganz hervorragend gelang. Bei dieser Gelegenheit lernte der papugaj, »Kisch in tuches!« zu rufen, wobei er verblüffend ähnlich klang wie meine mame.

Ich fand es bemerkenswert, wie gegensätzlich Geschwisterpaare sein können, als würde G't den einen so gestalten und den anderen ganz anders, so dass sie gemeinsam eine Balance bildeten in der Welt: auf der einen Seite meine stets leicht agitierte, überpräsente Mutter, um alles besorgt und unnachgiebig in ihrem Willen, obendrein frum bis in die hor-schpizn und ständig alles segnend, vom Essen bis zum Toilettenpapier; und auf der anderen Seite, in völliger Gelassenheit und Lebensfreude, mein Onkel, unbestritten a jid, aber auch offen für andere Weisheiten, wobei ich gestehen musste, dass mir diese ominösen Chakras auch nach der zweiten Meditation nicht ganz geheuer waren. Außer das Nabelchakra.

Dann kam der Sonntag und Tante Malka fuhr mich zum Flughafen. Um meine Eltern zu schonen, hatte ich mich für die Heimreise in schwarz-weiße sachn gekleidet.

»Masl tov«, sagte Tante Malka zum Abschied, und dann, weil ich es wohl wirklich brauchen konnte, gleich noch amol.

Bei der Sicherheitskontrolle wurde ich einem ausführlichen Interview unterzogen, mit lauter Fragen darüber, wen ich warum getroffen hätte, und weil jede Antwort zu einer neuen Frage führte, erwähnte ich die Personen halt alle: Michal, Jonathan, Malka und auch meine mame und Rabbiner Wolf.

Der Sicherheitsbeamte, ein schon fast kahler junger man etwa im gleichen elter wie ich, hörte aufmerksam zu und stellte keine Fragen mehr. Immer wieder nickte er nur. Dann sagte er: »Sie machen mir Mut. Danke.«

»Warum?«, fragte ich.

In diesem Moment klingelte sein Handy; er nahm es aus der Gürteltasche, schaute darauf und hielt es mir hin: *Ima*, zeigte das Display.

»Darum«, sagte der Sicherheitsmann.

Der Flug nach Zürich erschien mir lang und das Essen schmeckte mir nicht. Ich schaute aus dem Fenster auf Länder hinab, die ich nicht kannte, und fühlte mich an mein lebn erinnert.

Dann wurde die erd grüner und der himl dunkler, und als er uwnt-bloj war, setzte die Maschine in Zürich auf, wo bereits im Terminal alles viel sauberer und ordentlicher war als in Israel und, wie ich fand, auch wesentlich langweiliger. Alle waren schtil; bloß die Paare unterhielten sich auf dem Weg zur Passkontrolle in gedämpftem Ton.

Als ich die Empfangshalle betrat, wartete, entgegen der Familientradition, nur mein tate auf mich. Er sah ein bisschen trojerik aus.

»Nu, wus tit a jid?«, versuchte er ein Lächeln und umarmte mich.

»Men schleppt sech«, erwiderte ich die Umarmung. Ich hatte den Eindruck, mein tate war dünner geworden.

Während er seinen Previa aus dem Parkhaus hinaus auf die Autobahnauffahrt lenkte, schaute ich meinen tate von der Seite an und dachte daran, dass er eines Tages sterben würde; seine Schritte immer kleiner, die schtim immer schwächer, der bort weißer und das Haupt gebeugter, bis hin zum letzten tog, wo es sich ganz vornüberbeugen würde. Und ich fragte mich, worin eigentlich der Sinn bestand, die Lebens-zajt, die uns allen ja keineswegs unlimitiert zur Verfügung steht, mit zures und Zorn zu vertun und damit nur zu erreichen, dass die frejd vertrieben wird.

»Wie geht es dir?«, fragte ich meinen Vater aus diesen Überlegungen heraus. Wer konnte schon wissen, wie oft ich dazu noch Gelegenheit haben würde.

»Wus?«, gab er zurik, als hätte er meine Frage nicht begriffen. Oder sie seit langer zajt nicht vernommen.

»Wie es dir geht.«

»Oh«, machte er, zog die nos hoch und dann, langsam:
»Jo, jo.«

Ich hatte das Gefühl, nicht weit gekommen zu sein.

»Wie geht's mame?«, unternahm ich einen Moment schpejter den nächsten Versuch.

Auf dem Fahrersitz wurde lange geschwiegen. Dann: »Sie macht sich sorgn.«

»Um mich?«

»Ja.«

»Warum?«

»Weil –«, Blinken, Spurwechsel in den Milchbucktunnel, »weil –«, Abbremsen, Rückstau vor Tunnelende, »weil –«, Ampel auf Grün, losfahren, »weil –«

»Weil?« Er machte mich nervös.

»Nu, sie macht sich sorgn, weil wir ... weil du ... weil du nicht so lebst, wie ... wie wir es für dich sehen.«

»Du meinst, wie *sie* es sieht.«

Wieder sagte er nichts mehr; bis zur Sihlpost.

»Wir haben dich sejer lib, Motti. Und wir wollen nur das Beste für dich.«

Nun schwieg ich; bis zum Posten der Kantons-polizaj.

»Aber woher wisst ihr, was das Beste ist für mich?«

Am Werdplatz warteten wir vor einer Ampel.

»Du hast recht«, sagte mein tate, »wir wissen es nicht.«
Anfahren.

»Weißt denn du, was gut ist für dich?«
Zweierstraße.

Nachdem wir beim Bahnhof Wiedikon über die kurze brik über die Geleise gefahren waren, antwortete ich: »Noch nicht. Aber ... ich kann schon ein paar sachn ausschließen.«

Als ich die Wohnungs-tir öffnete, stand mitten im koridor, die Arme verschränkt und fettige, schwarze Blitze aussendend, meine mame.

»Schalom, mame«, sagte ich.

Sie sagte nichts, sondern hielt mir ihre bak hin.

Ich wollte das Protokoll nicht verletzen und setzte ihr wie erwartet einen schüchternen kisch darauf.

»Schalom, Motti!«, sagte sie dann, ganz entlegen; als wären wir vor langer zajt Geschäftspartner gewejn und ich hätte sie damals eiskalt über den Tisch gezogen. Dann drehte sie sich ab und verschwand in der kich.

Mein Vater hatte es sejer eilig, von einem seiner zahlreichen *Jüdische-Zeitung*-Stapel, die er wie ein Eichhörnchen überall in der Wohnung angelegt hatte, ein Exemplar zu nehmen und damit aufs Sofa zu flüchten.

Von der mediterranen Hochlaune, in der ich in Tel Aviv die Maschine bestiegen hatte, war nichts mehr übrig.

Abends vor dem Schlafengehen holte ich meine neuen Kleider hervor und streichelte sie wie einen glitzernden Zaubermantel, der einen unsichtbar macht.

Und als ich mich in die Bettdecke einrollte, kam meine hant nah an meiner nos zu liegen, und mir war, als röchen meine Finger noch ganz fein nach Michal. Ich lächelte und sprach leise den Lobspruch für Wohlriechendes: »Baruch ata adonai, elohenu melech ha'olam, hanoten reach tow baperot.«

Mir fiel nun auch auf, dass Laura eine recht grojse Nos hatte

Am darauffolgenden Nachmittag war ich knapp dran für die Vorlesung und trat tapfer in die Pedale; die Mühlegasse hinauf, in den Hirschengraben hinein und beim Neumarkt hinauf in die steile Künstlergasse, verboten auf dem Trottoir. Ich schloss das redl ab und stürmte die Treppe hoch und – nach einem kurzen Aufenthalt auf dem kloset, wo ich meine jiddischen hojsn gegen meine neuen israelischen Jeans tauschte – hinein in den Vorlesungssaal. Das weiße Hemd behielt ich an.

Ich fand einen Platz in der hintersten Reihe am Rand; der Dozent klopfte sich gerade ans umgehängte Mikrophon, um dessen Funktionsfähigkeit zu prüfen, da fragte neben mir jemand: »Ist hier noch frei?«

Ich sah auf und blickte geradewegs in Lauras Gesicht.

Ihre Freundin war nirgends zu sehen und neben mir war nur ein Platz frei geblieben. Ich würde die Vorlesung also gewissermaßen mit ihr allein zubringen.

Mein harz pochte bis in meinen halds hinauf.

Idiotischerweise blickte ich auf den leeren Sitz, um dann hochzusehen und mit einem roten kop zu nicken.

Laura setzte sich. Sie trug weiße hojsn, die unter dem

Knie endeten und den blik freigaben auf lange, edle Waden, die in zwaj köstliche fis mündeten, umschnallt von weißen Sandalen mit vielen schmalen Riemen. Als Oberteil hatte sie ein enges, ärmelloses rotes T-Shirt gewählt. Das hor trug sie offen. Es fiel ihr weit in den rukn hinab und schien wie ein sündhafter Pfeil auf die Stelle hinzuweisen, die vom T-Shirt nicht bedeckt war und Lauras Rückenmuskulatur sichtbar machte. In der Mitte der bejden beflaumten Muskelstränge stand der Hosenbund leicht ab und warf einen erregenden kleinen schotn.

Wieder und wieder – ich brauchte mich nur etwas zurikzulehnen – weidete ich mich an diesem Anblick.

Überhaupt sah Laura wieder umwerfend aus. Diverse mener im Saal, die sich ständig nach ihr umdrehten und dann etwas zu ihren Kollegen sagten, die sich schließlich auch umdrehten, schienen meine Ansicht zu teilen.

Auf dem Flug nach Zürich hatte ich ausgiebig darüber gerätselt, ob ich nach meinem bagegenisch mit Michal wohl noch immer so intensiv auf Lauras Anwesenheit reagieren würde. Ob man wohl mit der einen froj die andere würde heilen können.

Nun hatte ich die Antwort.

Man kann nicht.

Laura war zudem, wie sich zeigte, weniger am dargebotenen Unterrichtsstoff interessiert als an der Frage, ob ich der Selbe sei, den sie hier auch schon gesehen habe? Ich sähe so anders aus, sagte sie und blickte, von freundlicher Neugier erfüllt, in meinem punem umher.

Ich bejahte dies mit dünner schtim, räusperte mich und bemühte mich um einen männlichen Ton, als ich weiterfuhr: »Ich bin der Selbe. Aber nicht mehr ganz.«

Sie blickte leicht irritiert, und da ich mich nicht weiter erklärte, sondern hektisch mit meinem Schreibwerkzeug hantierte, ohne etwas aufzuschreiben, stellte Laura die nächste Frage: »Du bist jüdisch, oder?«

»Ich bin jüdisch«, sagte ich und klopfte zur Verdeutlichung mit draj Fingern auf meiner gehäkelten schwarzen jarmelke herum.

»Hattet ihr jetzt nicht gerade … wie heißt es …«

»Reichskristallnacht?«

»Nein«, lachte Laura, »… wir haben Ostern und ihr habt?«

»Pessach«, sagte ich.

»Genau, Pessach«, sagte sie und entblößte ein schneeweißes Gebiss. Der linke obere Schneidezahn stand etwas schief, was einen putzigen Bruch mit der übrigen Perfektion darstellte, in der dieses Wesen über die Welt wandelte.

Mir fiel nun auch auf, dass Laura eine recht grojse nos hatte. Normalerweise blickt man die Leute ja von vorn an, wenn man mit ihnen spricht, und dann sieht man eine allfällige grojse nos nicht. Jetzt aber, so von der Seite, konnte man es gut sehen. Anscheinend hatte ich nicht nur eine Schwäche für Nichtjüdinnen, sondern auch für grojse nosn.

Eine Weile widmeten wir uns dem Vortrag des Dozenten. Er belehrte uns darüber, dass der freie Handel weltweit die Lebensbedingungen verbessere und Diversifizierung für alle von Vorteil sei. Der englische Ökonom David Ricardo habe dies mit seinen *Principles of Political Economy and Taxation* aufgezeigt.

Ich machte Notizen und lehnte mich dazwischen immer wieder nach hinten, um Lauras Rückseite bewundern zu können. Allerdings verhielt ich mich dabei offenbar weitaus weniger geschickt, als ich dachte, denn irgendwann fragte sie leise: »Sag mal, wenn du dich jeweils so zurücklehnst... machst du das, um mir auf den Arsch zu schauen?«

Ich erschrak furchtbar und sagte: »Oh, nein, nein.«

Laura schaute mich an, wie man jemanden anschaut, dem man aus reinem Amüsement etwas zajt gönnt, eine aufwendige, aber erbärmliche Lüge fertig zu erzählen.

»Okay«, gab ich schließlich zu, »ja. Darum mache ich das.«

»Und darfst du das?«, fragte Laura und setzte ein amtliches Gesicht auf.

»Nein, das darf ich natürlich nicht, es tut mir leid...«

»Ich meine wegen deiner Religion.«

»Ach so...«

Laura schaute mir neugierig in die ojgn, mitten hinein, mir wurde darob unwohl und gleichzeitig sejer wohl; unwohl-wohl, lustige kombinazje, dachte ich, während ich herumstammelte: »...das kommt darauf an, welche Art man... welche Art, jüdisch zu sein, man für sich gewählt hat.«

Sie schaute mich immer noch an.

»Und darfst du in deiner Art, jüdisch zu sein, einer Nichtjüdin auf den Arsch schauen?«

»Eigentlich nicht«, sagte ich.

Leider, dachte ich.

»Schade«, sagte auch Laura und gab vor, wieder an dem interessiert zu sein, was der Dozent vorn erzählte.

Mein bouch fühlte sich an, als hätte ihn jemand in ein Fass genagelt und einen endlosen Wasserfall hinuntergestoßen.

»Kann man die Art, wie man jüdisch ist, denn ändern?«, fragte Laura dann.

»Es hat gewisse Konsequenzen, wenn man eine neue Art wählt«, überschlug ich meine jüngsten Erfahrungen.

»Welche?«

»Krach mit der Familie, in erster Linie. Je nachdem muss man auch beim Rabbiner vorsprechen.«

Der Gong erklang. Wir packten unsere sachn zusammen.

»Hast du Lust, einen Kaffee zu trinken?«, fragte Laura beim Aufstehen.

Ich hatte.

Die mener, die zuvor Laura angeschaut hatten, schenkten mir unfreundliche blikn, als ich mit ihr den Vorlesungssaal verließ.

Im Rondellcafé setzten wir unsere Unterhaltung fort.

»Also hattest du schon mal Krach mit deiner Familie?«, fragte Laura, während sie ein halbes Briefchen zuker in ihren Kaffee rutschen ließ und es dann hipsch verschloss und in den Rand der Untertasse legte.

»Ja. Meine Mutter ist gerade sejer projges.«

»Deine Mutter ist was?«

»Beleidigt.«

»Hast du einer Nichtjüdin auf den Arsch geschaut?«

»Nicht ganz.«

»Jetzt sag schon.«

»Ich habe der falschen Jüdin… auf den… den…«

»Sagst du nicht Arsch?«

»Nein. Ich glaube, ich habe das noch nie gesagt.«

»Probier's doch mal.«

»Also gut: Ich habe der falschen Jüdin auf den *Arsch* geschaut.«

Es fühlte sich gut an, das zu sagen; vor allem, weil Michals
Arsch gemeint war. Und nun irgendwie auch noch der von
Laura.

»Was heißt Arsch auf Jüdisch?«, wollte diese wissen und
nahm einen schlung aus ihrer Tasse, ohne den blik von mir
zu nehmen.

»Du meinst Jiddisch.«

»Okay, Jiddisch.«

»Tuches«, sagte ich und nahm auch einen schlung Kaffee.

»Und was machte sie zur falschen Jüdin?«

»Dass ich nicht mit ihr verheiratet war. Und es auch
nicht sein werde.«

»Das klingt alles ein bisschen kompliziert«, sagte Laura
nach kurzem Nachdenken.

»Es *ist* kompliziert.«

»Also bei mir ist das einfacher. Wenn du mir auf den…
wie heißt es schon wieder?«

»Tuches.«

»Wenn du mir auf den tuches schaust, ist niemand beleidigt.«

Ich war verwirrt: Ist das gojischer Humor? Spielt sie ein tajwlsches Spiel mit dir? Oder erwartet dich gar wieder a schtup?

Die Art jedenfalls, wie Laura mich anschaute, ließ mich keines der draj eindeutig ausschließen.

»In Ordnung«, gab ich von mir.

Laura lächelte, sah auf ihre Uhr und sagte: »Shit, ich muss los.«

Das hörte ich nicht gern, ließ mir aber nichts anmerken. Betont gelassen legte ich ein bejn übers andere und stieß mir dabei das Knie an der Tischplatte. Es tat sejer wej und ich presste die lipn zusammen. Ein zerdrückter Wehlaut entstieg ihnen, ging aber zum glik im Plauderlärm der Umgebung unter.

Laura erhob sich zu ihrer vollen Anmut und ich erhob mich auch.

Sie reichte mir die hant; eine angenehme, beschützenswerte kleine hant, die ich nur ungern wieder freigab. Nicht zuletzt, weil ich es nicht gewohnt war, Frauen die hant zu geben.

»Wie heißt du eigentlich?«, fragte Laura.

»Motti.«

»Ich heiße Laura«, sagte sie.

»Ich weiß«, sagte ich.

Sie lächelte, ohne nachzufragen, was mir gefiel. Und dann war sie auch schon entschwunden.

AH, DIE STÖRCHE, DIE STÖRCHE

Das waser rann über meine Hände und es lachte und lachte, und als ich es fragte, warum es lache, so lachte es noch mehr; doch es war kein schmähliches Lachen, sondern das Lachen der Engel, die im himl tanzen.

Frohgemut zog ich meine neuen Jeans an und dazu eines der neuen Oberteile, die ich in Tel Aviv gekauft hatte; ein hellblaues Poloshirt mit dunkelblauen Nähten.

Meine Mutter sah es und meinte, es sei eine chaseraj.

Ob sie nun die Kleider meinte oder die Tatsache, dass a frumer jid solche Sachen trug, oder aber, dass ihre modische Expertise erneut nicht erfragt worden war, wusste ich nicht. Es interessierte mich aber auch nicht; ich ging einfach an ihr vorbei aus dem Haus und in den friling hinaus, ins ofis, um dort die Unterlagen für meinen Besuch bei Frau Silberzweig zu holen.

Nachdem ich alles bereitgelegt hatte, suchte ich das kloset auf. Dort stand gerade Herr Hagelschlag gemütlich summend vor einer der bejden Schüsseln, sah sich zu mir um und rief fröhlich: »As a jid schtelt sich pischn, schteln sich di ibrige ojch!«

Und ich schtelte mich ojch.

Je höher ich in Frau Silberzweigs Haus die Treppen hochstieg, desto stärker wurde der Geruch ihres brennenden papiros, und sie lächelte, als sie mich in meiner neuen Aufmachung am kop der Treppe um die Ecke pfeilen sah.

»Ah, die Störche, die Störche«, sagte sie zufridn und nahm einen Zug.

»Die Störche?«, fragte ich außer otem.

»Die kort für die Veränderung.«

»Ach so.«

Frau Silberzweig, auch heute behangen mit schwerem, glänzendem zirung, bat mich herein. Das Geschäftliche war rasch erledigt: Frau Silberzweig, die trotz ihrem elter keine Lesebrille benötigte, las alles aufmerksam durch, wobei sie alle paar Zeilen brummelte wie mein tate, und unterzeichnete am Schluss mit einer Unterschrift, wie man sie von alten brifn kennt; gerade und sauber.

»In ordenung, in ordenung«, sagte sie und verschloss ihre Füllfeder. »Nun zu Ihnen. Was erzählen Sie mir?«

Ich erzählte.

Frau Silberzweig hörte zu, rojcherte, hustete ein wenig und blickte mich die ganze zajt gütig und klug an.

»Und jetzt?«, fragte sie schließlich.

»Und jetzt… also… ich habe irgendwie das Gefühl, ich müsse mich entscheiden.«

»Das haben Sie schon lange.«

»Habe ich?«

»Selbstredend.«

»Und wofür?«

»Jingele, wir würden dieses Gespräch nicht führen, hätten Sie sich nicht für ein anderes lebn entschieden. Wer hat

Ihnen zum Beispiel diese Woody-Allen-briln da gekauft?
Und diese gojischen blauen Hösli? Etwa ich?«

»Nein.«

»Sehen Sie.«

Ich dachte nach.

»Aber was heißt das?«

»Was soll es schon heißen? Sie werden Krach mit der Familie bekommen, beim Rabbiner waren Sie ja schon, und
was die Gemeinde denkt, nu … von mir denkt man ja auch,
ich sei a mechschajfe. Was soll's.«

Ich blickte auf meine Hände; trojerik und unsicher, aber
auch neugierig gegenüber meiner Zukunft.

»Möchten Sie noch amol die kortn gelegt bekommen?«

Ich nickte ehrfurchtsvoll und Frau Silberzweig zündete
wieder lichtlech an und legte die kortn aus. Sie brummelte
und lachte und sagte: »Aha«, und brummelte weiter.

Um jene herum, die mich symbolisierte, lagen ganz ähnliche kortn wie beim letzten mol: das Kind, die Lilien und
die Wege, neuerdings auch das Herz und der Klee und der
Brief sowie eine froj, die aussah wie eine Gouverneurstoch-
ter aus der Karibik. Und eine seltsame Wolke.

»Jetzt machen wir Sie zum kortn-warfer«, sagte Frau Silberzweig unternehmungslustig. »Was sehen Sie?«

Ich starrte die kortn an.

»Nicht mit die ojgn, Herr Wolkenbruch, nicht mit die
ojgn!«

»Wie dann?«

»Nu, mit dem Geist«, lachte Frau Silberzweig, »mit dem
Geist und mit der neschume!«

Ich versuchte es. Erst passierte gar nichts.

Dann sprang mich von irgendwoher das Bild meiner weinenden Mutter an und dann eines von meinem Vater, genau genommen von seinem bort, der unter der *Jüdischen Zeitung* hervorschaute, und schließlich sah ich Laura, die bloß vor mir lag und ihren kop lustvoll in den Nacken fallen ließ.

Es waren nur kurze, lose Gedankenstücke, wie wenn man während einer Eisenbahnfahrt aus dem Fenster schaut und dem Geist die Zügel lässt; und dennoch war mir, als hätte ich etwas Wirkliches gesehen.

Ich erzählte es Frau Silberzweig.

»Interessant«, sagte sie.

»Habe ich die Zukunft gesehen?«

»Die Zukunft gibt es nicht.«

»Aber ich dachte…«

»…es seien Wahrsage-kortn. Sind es auch. Aber sie zeigen nie die Zukunft.«

»Sondern?«

»Das Potential der Gegenwart. Wie gesagt.«

Ich erinnerte mich an meinen letzten Besuch, verstand aber noch immer nicht.

»Was Sie in den kortn sehen, ist das, was passiert, wenn Sie Ihren aktuellen Weg weitergehen. Ändern Sie Ihren Kurs, werden Sie eine andere Zukunft haben.«

Ich dachte darüber nach.

»Was sehen denn Sie in den kortn?«, fragte ich dann.

Frau Silberzweig schaute auf den Tisch und in mein punem. Dann kniff sie die ojgn, nahm einen tiefen Zug von ihrer Zigarette, hielt den rojch lange in ihrer Lunge und sprach dann: »Kennen Sie die Fabel vom breiten, ebenen Weg aus Gold und dem schmalen, steilen, steinigen?«

»Nein.«

»Ich auch nicht mehr so genau. Aber ich glaube, Sie machen sich nichts aus breiten Wegen.«

Wir verabschiedeten uns.

»Haben Sie keine Angst, jingele«, sagte Frau Silberzweig unter der Tür. »Die Geschichten sind schon geschrieben.«

SAG DEINEM SOHN, ER SOLL MIR SEINE
DRECKIGEN HEMDN BRINGEN!

Auf dem Rückweg ins ofis machte ich einen Abstecher in den Rieterpark. Es war immer noch viel zu warm für die Jahreszeit. Der Park war voll mit Geschäftsleuten, die das Jackett geschultert hatten und etwas langsamer gingen als üblich, mit jungen Müttern, die einen Kinderwagen schoben, aus dem es herausquietschte, und verliebten Pärchen, die sich alle paar Schritte mit geschlossenen ojgn umarmten.

Ich setzte mich auf eine Bank, breitete die Arme auf der Rückenlehne aus und stellte mir vor, ich würde hier mit Laura so umschlungen stehen. Ich erinnerte mich an die Vision von Laura, die ich bei Frau Silberzweig gehabt hatte. Das Bild erzeugte eine spezielle frejd in mir, zu vergleichen mit der frejd, wenn die mame an pajsech Matzenknödel auftischt; man hat schon den wunderbaren Geruch in der nos, aber noch nicht hineingebissen, man sieht die knajdlech in der Suppe schwimmen, hat aber noch nicht daraus geschöpft.

Doch weder am darauffolgenden tog noch an einem der restlichen woch sah ich Laura an der uniwersitejt wieder. Ich besuchte alle Vorlesungen und setzte mich jeweils so hin, dass neben mir immer ein Platz frei blieb, verbrachte jeden

Mittag in der Mensa, platzierte mich taktisch geschickt im Rondellcafé, lümmelte scheinbar zufällig im Lichthof herum, doch zwecklos. Ich sah meine geheime gojische Muse nicht wieder.

Hatte sie unser bagegenisch denn nicht auch genossen?

Drängte es sie denn nicht auch nach einem Wiedersehen?

So vergingen die teg.

Die schtimung zu Hause war ebenfalls eine katastrofe: Meine mame kommunizierte ausschließlich über meinen tate mit mir, obwohl ich mich am selben Tisch und in derselben Wohnung aufhielt.

»Moische«, rief sie etwa, »sag deinem Sohn, er soll mir seine dreckigen hemdn bringen!«

Und mein Vater versuchte, daraus einen schpas zu drehen, indem er gespielt erbost rief, ich solle jetzt endlich meine dreckigen hemdn herbeischaffen, die mame sitzt schojn ojf schpilkes!

Und während ich trojerik meine hemdn holte, malte ich mir aus, wie meine mame wohl reagieren würde, führte ich Laura an der hant in unsere schtub. Es wäre alles meglech, dachte ich, vielleicht würde mich die mame sogar erstechen wollen, aus der kich heraus mit dem meser auf mich zustürzen, innehalten und merken, es ist ja das meser für milchikes, es tauschen gegen jenes für das fleischike und a neuen anlojf holen –

So vergingen die teg.

Und am schabbes, auf dem Weg in die schul, ging meine mame nicht mit meinem tate und mir, sondern immer inmitten einer grupe von frojen, wo ihr nostichlech gereicht wurden und man sie am Arm stützte. Und waren die blikn, die mich ereilten, bislang noch mitleidig und beinahe fürsorglich gewejn, so waren sie nun kalt und strafend –

So vergingen die teg.

»QUÄQUÄQUÄ!«, MACHTE DIE ENTE, ALS WÄRE SIE VÖLLIG EINVERSTANDEN

Dreizehn teg nach unserem letzten Zusammentreffen, ich hatte genau gezählt, traf ich Laura wieder. Ich fuhr am frühen uwnt mit dem Rad das Limmatquai entlang; Laura schlenderte mir in einem schwarzen rok, der ein gehöriges schtik über dem Knie endete, und einer hellblauen Bluse mit gekrempelten Ärmeln in Richtung Central entgegen. Sie sah mich nicht, als ich an ihr vorbeiradelte.

Ich fasste mir ein harz und wendete.

Laura freute sich, mich zu sehen, und schlug vor, etwas trinken zu gehen.

Was gibt sie sich überhaupt mit dir ab, dachte ich. Hat sie heute keine Verabredung mit einem anderen man? Warum geht sie jetzt ausgerechnet mit *dir* etwas trinken?

Hat sie solchen durscht?

Ich rätselte in alle Richtungen, während ich Laura in ein spärlich beleuchtetes Lokal folgte, wo sie auf die Frage eines jungen Mannes mit einer seltsamen Frisur, was sie trinken wolle, eine Antwort gab, die ich nicht verstand. Nun richtete sich der Kellner an mich und ich hielt lässig zwaj Finger hoch. Er nickte mit kühler Miene und machte sich davon.

Ich hatte keine Ahnung, was ich bestellt hatte, und fragte Laura.

Sie lachte: »Gin Tonic!«

Was das sei, wollte ich wissen.

»Gin mit Tonic«, sagte sie.

Ich kannte bejdes nicht.

Laura fragte mich, was ich denn sonst trinke, wenn ich ausginge.

Rotwein, sagte ich und fügte an, ich ginge eigentlich nie aus.

Die bejden Gläser kamen. Laura hob ihres und sagte: »Zum Wohl!«, und ich sagte: »Lechajm!« Sie wollte wissen, was das heiße, und ich sagte es ihr. Auf das Leben, heiße es. Laura sagte: »Lochajm!«, und hob ihr glos, und ich mochte sie nicht korrigieren, sie war so niedlich dabei.

Wahrscheinlich hätte sie mich aufs Übelste beschimpfen können, ich hätte sie noch immer niedlich gefunden.

So weit war es mit mir gekumen.

Bereits nach wenigen Schlucken verrichtete der Gin Tonic ein recht wüstes Werk an mir. Ich begann, Laura Komplimente zu machen, erst ungelenk (die Bluse stehe ihr ausgezeichnet), dann etwas einfallsreicher (indem ich der Bluse ein Kompliment zu ihrer Trägerin aussprach).

Aus den lojt-schprechern erklang vorwärtsdrängende Musik; Laura lachte viel, erkundigte sich nach den Besonderheiten des jüdischen Daseins, legte elegant ihre bejner übereinander, sagte alle paar Schlucke: »Lochajm!«, bestellte zwaj neue Gin Tonic, entschuldigte sich und verschwand auf dem kloset, ein wehendes Röcklein über zwaj delikaten Kniekehlen, und kaum war sie entschwunden, vermisste ich sie bereits, vermisste ihre schtim und den Anblick ihrer vollen, weichen, glänzenden lipn, da kehrte sie auch schon zurik und alles war wieder gut; wir bestellten noch amol zwaj Drinks und Laura erzählte von ihrer Vorliebe für Street-Art (ein weiterer Begriff, den ich mir erklären lassen musste) und französischen Hip-Hop (den auch) und eben Gin Tonic; und ich hörte zu und erzählte von meiner Vorliebe für klesmer und mazes-knajdlech und setzte ihr auseinander, weshalb alle jidn in Zürich einen Previa fahren, worauf sie wissen wollte, warum die jidn auch im Sommer riesige Pelzhüte tragen, und ich erklärte ihr, es seien nicht alle, nur die chassidischen; und dass ich israelischen Rotwein möge, aber neuerdings auch Gin Tonic und – ich war nun schiker genug, es auszusprechen – nicht nur Gin Tonic, nein, auch sie, Laura, ja, auch sie möge ich, dies übrigens schon länger; und Laura freute sich und fragte, warum ich sie denn nie angesprochen hätte, und ich antwortete, das gehe doch nicht, sie sei eine gojete, und Laura fragte, was eine gojete sei, und ich sagte, eben keine jidene, und sie fragte, ob es denn mit meiner Art, jüdisch zu sein, nun vereinbar sei, mit einer gojete Gin Tonic zu trinken, und ich befand in diesem Moment, dass dies nicht nur vereinbar sei, sondern überhaupt meine neue Art, jüdisch zu sein; ich sei, vermeldete ich stolz, fortan ein Jew Tonic, und um dies der Welt zu zeigen, würde ich die jarmelke auf meinem kop durch einen Zitronenschnitz ersetzen, was ich auch tat.

Laura nahm daraufhin ihr Telefon hervor und speicherte

meine numer unter diesem Namen, dann wählte sie die numer und die ihre erschien kurz darauf auf meinem Telefon. Ich speicherte sie unter dem Namen *Supergojete*, was Laura sejer schmeichelhaft fand, und wir schrieben einander SMS; *hi jew tonic*, schrieb Laura, und ich schrieb: *Hi Supergojete*, und es war alles ein großes, gutes Märchen.

Ob ich sie nach Hause begleite, fragte Laura, nachdem sie eine Weile den Fußboden angestarrt hatte. Die Eiswürfel in ihrem glos waren längst geschmolzen, und auch mir fiel nichts Nettes oder Geistreiches mehr zu sagen ein.

»Ja«, sagte ich.

Ich hätte zu allem Ja gesagt.

Gefährliche Sache, diese frojen!, dachte ich bei mir. Lächeln dich an und schon sagst du zu allem Ja.

Die ganze Welt schien zu leuchten, als wir durch das Seefeld-Quartier spazierten; es glitzerten die Worte, es funkelten die Schritte und es gleißte das lebn.

Als wir vor Lauras Haus ankamen, bedankte sie sich für die Begleitung, machte einen Knicks, verlor dabei den Stand und hielt sich an meiner Schulter fest, doch auch dies bot ihr anscheinend nicht genug Halt und sie legte ihre Arme um mich.

»Ich bin betrunken«, flüsterte sie.

Wie gern hätte ich in diesem Moment einen Haufen Brecheisen in die Räder der zajt geworfen, auf dass sie nicht mehr funktioniere und Laura für immerdar so an mich gelehnt stünde.

»Gute Nacht«, flüsterten ihre lipn an meinem halds.

»Gute Nacht«, sagte ich. Doch wir blieben weiter so stehen.

»Also, Herr Wolkenbruch«, hob Laura dann ihren kop, tätschelte meine Schulter und machte sich in ihrem hantbajtl auf eine etwas konzeptlose Suche nach ihrem Schlüsselbund. Schließlich fand sie ihn, sagte leise: »Juhu«, dann fiel er ihr aus der hant, ich hob ihn auf, und so ging das weiter; zuletzt war die tir offen, Laura ging hinein, die glostir fiel hinter ihr zu, Laura drückte einen kisch auf die Scheibe und begab sich auf einer nicht ganz geraden Linie zur Treppe.

Ich stand noch einen Moment in andächtiger Betrachtung des Abdruckes ihrer lipn versunken. Dann spazierte ich am Seeufer entlang ahajm, mein redl schiebend und ganz benommen von der Gesellschaft dieser jungen froj, und erinnerte mich an den eigenen Weg, den ich offenbar gehen musste, wenn man Onkel Jonathans Worten und Frau Silberzweigs kortn Glauben schenken wollte, und ich fragte mich, ob die Geschichten wirklich alle schon geschrieben sind und einfach von uns umgesetzt werden oder ob wir sie nicht vielmehr durch die Masse unserer Entscheidungen, die wir jeden tog zu Hunderten treffen, selbst gestalten.

Mir gefielen bejde meglechkajtn und ich betrachtete die Schritte, die ich im Schein der Laternen tat, mol in der einen, mol in der anderen Weise: bald als unausweichliches Streben einem unbekannten Schicksalspunkt zu, bald als flotte Promenade ohne Absicht; wie es mir gerade passte –

Dann blieb ich stehen.

»Quä!«, machte eine Ente im waser.

Ich streichelte die Laura-Stelle an meinem halds.

Dann jene in meinem Herzen.

»Quä!«, machte die Ente. »Quä!«

Über allem, weit oben, grinste die lewojne als schmale Sichel.

Und da erkannte ich das Geheimnis: Die Geschichten sind tatsächlich schon geschrieben, aber wir können sie verraten und uns mit dazu. Wir können so leben, wie wir glauben, leben zu müssen oder nicht anders leben zu können, doch es wird immer ein lebn geben, wie es für uns gemeint ist; es ist jenes, das uns am glücklichsten macht und das uns zu unserer wahren Größe erhebt; was auch immer der prajs dafür sein möge und wie viel auch immer wir dafür auf uns nehmen müssen.

Ich beschloss, jenes lebn zu suchen und zu finden.

»Quäquäquä!«, machte die Ente, als wäre sie völlig einverstanden.

Ein kräftiger Windstoß vom See her traf mein punem und fegte mir fast die jarmelke vom kop.

Ich schrieb Laura ein SMS:

Liebe Laura, es war sehr schön mit Dir, und ich hoffe, wir sehen uns bald wieder. Dein Jew.

Keine sekund, nachdem ich es abgeschickt hatte, erwartete ich auch schon eine Antwort, selbstverständlich zustimmender Natur.

Bis ich zu Hause angekommen war, hatte ich mindestens zwanzik mol mein Handy aus der keschene geholt und nachgesehen.

Und zum ersten mol erfuhr ich, wie es sich anfühlt, wenn man sein gesamtes Sein auf eine ausbleibende Kurznachricht ausrichtet.

NICHT NUR EPPES,
SONDERN EPPES VIEL!

Als ich erwachte, peinigte mich grauslige kopwejtik. Ich ergriff mein Handy auf dem Nachttisch. Darauf war noch
immer keine Antwort zu finden und es ging mir noch
schlechter.

Ich suchte das wasch-zimer auf und trank gierig aus dem
Wasserhahn, in der hant das Telefon. Um mich nicht weiter
zu quälen, schaltete ich es aus.

Für finf minutn.

Dann schaltete ich es wieder ein, war wieder enttäuscht
und schaltete es wieder aus.

Ich erinnerte mich an einen der vielen Sinnsprüche des
Herrn Hagelschlag: »A wajb schtelt ojf di fis un warft fin di
fis.«

Aus dem Spiegelschrank nahm ich ein Alka-Seltzer und
ging in die kich, um den tablet in einem glos waser aufzulö-
sen. Das Geräusch des klappernden Geschirrs lockte meine
mame herbei. Sie wollte wissen, wo ich so lange gewejn sei
am uwnt zuvor, sie habe grojse zures erlitten auf dem Sofa.

Ich sei eppes trinken gewejn, sagte ich.

Das sehe sie, sagte die mame und zeigte auf das spru-
delnde Alka-Seltzer: Nicht nur eppes, sondern eppes viel!

»Jo«, sagte ich und kratzte mich am tuches.

»Kratz dich nicht am tuches vor deiner mame!«

Ich nahm die hant weg.

»Mit wem warst du fort?«, fragte die mame.

»Mit a mentsch aus dem Studium«, sagte ich, kippte den Trunk herunter und stellte das glos in den Spülstein.

»A froj?«, fragte die mame.

Eigentlich wollte ich zurik in mein zimer, aber die mame versperrte mir den Weg: Tat ich einen Schritt nach links, tat sie einen nach rechz und stand wieder vor mir. Es wäre ohnehin nicht einfach gewejn, im engen koridor an ihr vorbeizukommen, aber so war es gänzlich ummeglech.

»Jo, a froj«, sagte ich und wollte rechz an ihr vorbei.

»A gojete?«, fragte die mame und baute sich durch einen Schritt nach links erneut vor mir auf. Sie klang nicht angeekelt; eher wie ein Kommissar, der einen perversen Mord aufklären will und seine Gefühle dabei professionell beiseitelässt.

Ich trat nach rechz, die mame nach links, und wir standen wieder voreinander.

»A gojete?«, fragte sie nun lojter, und die Worte stachen in meine Schläfen hinein.

»Jo, mame, a gojete«, bestätigte ich und fügte mit Betonung an: »Eine *Kollegin*.«

Meine mame machte einen Schritt zurik, schaute mich von unten nach oben nach unten an und fragte dann leise, ob ich etwa im Sinn habe, diese gojete aus dem Kolleginnenstatus in einen anderen, gar höheren zu erheben.

Von neuem war ich irritiert über die Hellsichtigkeit der frojen in meinem lebn: Michèle roch meine Geheimnisse hundert Meter gegen den wint, Laura konnte man nicht unbemerkt auf den tuches starren, Frau Silberzweig sah die kommenden Ereignisse in allen Einzelheiten, und meine Mutter erriet meine Pläne, als hätte ich sie mir auf die Stirn gemalt. Unheimliche Bande.

Was ich mit der gojete wolle!, rief die mame nun und ihre bristn wackelten, als hätte G't die erd erbeben lassen.

Ich wolle gar nichts, log ich, und es sei unvermeidlich, dass man an einer uniwersitejt außerhalb Israels mit Nichtjuden in Kontakt komme. Auch mit weiblichen.

Meine mame röntgte mich mit voller Leistung und ich merkte, dass sie meine Lüge erkannte. Allerdings konnte sie mir auch nichts beweisen, und so endete unser morgendliches bagegenisch in den bejden Kräften, die unsere Beziehung mehr und mehr prägten: Misstrauen und Distanz.

Auf dem Weg ins ofis rief mich Michèle an: Was jetzt mit der gojete sei.

Die sei toll, sagte ich.

Ob meine mame es schon wisse.

Nein, sagte ich, aber sie ahne etwas.

Oj, sagte Michèle. Und wie es denn nun gewejn sei.

Was, fragte ich.

Eben, sagte sie.

Eben was, fragte ich.

Eben, das in Israel!

Ach so, sagte ich. Ja, das sei auch toll gewejn.

Und ob meine mame es auch schon wisse oder ahne?

Sie wisse es, sagte ich.

Oj, sagte Michèle… und was denn nun ›toll‹ genau heiße, ob ich das nicht ein bisschen präzisieren könne. Sie sei neugierig. Und es sei fies, nicht mehr zu erzählen.

Nun, antwortete ich, sie habe sicher eine Vorstellung davon?

Ja, antwortete sie rasch, ja, die habe sie. Schon lange habe sie die!

Es sei exakt hundert mol so gut, sagte ich genüsslich.

Michèle sagte lange nichts. Dann meinte sie, diese Antwort sei exakt hundert mol so fies wie keine.

Als ich im ofis ankam, verabschiedete mein Vater gerade einen Kunden, der mit stark israelischem Akzent sprach: »Ich hub ejer land sejer lib. Ejer schtot ojch«, sagte er, und mein Vater antwortete: »Zufridn, ejch zi kenen!«

Dabei hielten sie bejde mit ihren Händen jene des anderen umfasst und schüttelten das gemeinsame Handknäuel herzhaft.

Ob er noch etwas gebek wolle, fragte mein Vater dann und hielt seinem Gast eine der hagelschlagschen Papiertüten hin, was deren Besitzer mit Entsetzen mitverfolgte.

»Koscher?«, fragte der Gast mit griffbereiter, jedoch innehaltender hant.

»Koscher«, sagte mein tate und brachte ihm die naschtasch noch näher entgegen.

Der Israeli griff beherzt hinein, und Herrn Hagelschlags Miene nach zu urteilen, fürchtete dieser, der Fremde würde womöglich sein Lieblingsstück in der Tüte erwischen. Als jedoch ein gewöhnlicher Berliner zum Vorschein kam, trat ein Ausdruck der Erleichterung in Herrn Hagelschlags rundes punem.

Der Kunde verabschiedete sich.

Mein Vater bat mich in sein buro.

»Frau Silberzweig geht es nicht sejer git«, sagte mein tate, nachdem er die tir hinter sich zugezogen hatte, »sie ist im schpitol.«

»Was hat sie?«

»Ich weiß es nicht. Sie wollte es mir nicht sagen. Aber sie lässt ausrichten, du mögest sie besuchen. Sie ist im Uni-schpitol.«

Ich nahm meine jak, die ich über die Lehne eines schtuls gelegt hatte, und schickte mich an, das ofis wieder zu verlassen.

Da sagte mein Vater: »Motti?«

»Ja?«

»Stimmt das mit der gojete?«

»Was?«

»Eben ... dass du sie kennst.«

»Ich kenne viele gojim.«

»Du weißt, was ich meine.«

Ich sagte nichts. Dann: »Ja, ich kenne eine gojete.«

Mein tate schwieg lange, während er die Stifte auf seinem Schreibtisch zurechtrückte. »Nu ... es is nischt mein ge-scheft«, bemerkte er dann.

Das fand ich auch und ich verließ das buro, um in der Nähe einen Blumenstrauß zu kaufen. Dann fuhr ich mit der tramwaj Richtung Unispital.

Während weiter vorne im Wagen jemand lojt einer unsicht-baren Person schwere Vorwürfe machte, erklang aus mei-ner jak der Mitteilungston.

Die Nachricht war von Laura, wie ich erfreut feststellte.

habe es auch schön gefunden. mein kopf tut weh. wird er morgen sicher auch, da heute bei mir eine wg-party ist. kommst du auch?

wg-Party. Wieder so ein gojischer Ausdruck, den ich nicht kannte und dessen Bedeutung ich auch nicht erriet. Ein Kostümfest?

Ich rätselte kurz, dann musste ich aussteigen.

Vor mir erhob sich monumental das Universitätsspital der Stadt Zürich, Schauplatz jahrzehntelangen Ringens zwischen Vergänglichkeit und Heilkunst.

»Zu Chedwa Silberzweig«, sagte ich der Dame hinter dem Auskunftsschalter.

Sie nannte mir den Gebäudeflügel und die zimer-numer.

Im Lift bemerkte ich, dass ich zur Onkologieabteilung unterwegs war.

An die tir eines schpitol-zimers klopft der mentsch immer ängstlich, denn er weiß nicht, was ihn dahinter erwartet. Schläft der Patient, ist er wach? Werden an ihm gerade un-schöne Maßnahmen durchgeführt? Ist das bet gar bereits geräumt?

Ein Besuch im schpitol, überlegte ich, erinnert stets an die Ungewissheit der eigenen Restzeit.

Ich klopfte.

»Arajn«, sagte jemand kaum hörbar hinter der tir.

Es war ein Einzelzimmer. Frau Silberzweig sah nicht gut aus. Schläuche führten in sie hinein und aus ihr heraus. Ihr bet war umstanden von Gerätschaften, die einen kostspieligen Eindruck machten. Aus draj Infusionsbeuteln tropften Substanzen; zwaj klar, eine milchik.

»Jingele!«, sagte sie schwach.

»Gitn tog, Frau Silberzweig.«

»Wie geht es Ihnen?«

»Sagen Sie mir lieber, wie es Ihnen geht.«

»Das sehen Sie doch.«

»Ja. Bitte entschuldigen Sie.«

»Sie meinten wohl, warum ich hier gelandet bin.«

»Ja.«

»Ich habe kreps. Schon lange.«

Ich schwieg. »Das tut mir leid«, sagte ich dann.

»Das muss es nicht. Danke für die Blumen.«

»Gern geschehen.«

»Jetzt wollen wir mol sehen, was schneller verwelkt: ich oder Ihr Mitbringsel.«

Ich wurde trojerik.

»Jingele! Jetzt gucken Sie nicht so! Wir müssen alle wieder gehen, auch Sie! Aber alles zu seiner zajt. Jetzt haben Sie noch eine Weile frejd am lebn und dann kommen Sie nach und wir trinken bis in alle ejbigkajt tej zusammen.«

Ich versuchte ein Lächeln.

Frau Silberzweig auch. Ihr gelang es besser. Sie schloss die ojgn.

Vor dem Fenster setzte sich ein fojgl auf einen Ast. Der Ast begann leicht zu wippen. Der fojgl hob wieder ab, der Ast wippte wild; dann kehrte er zur Ruhe zurik.

»Jingele?«

»Ja?«

»Ich habe noch eppes für Sie.«

Sie öffnete die schuflod des Korpus neben ihrem bet und holte das dunkelblaue Seidentuch mit ihren kortn heraus.

»Hier«, hielt sie mir das Päckchen hin, »ich kenne ja meine Zukunft jetzt.«

Ich wehrte ab: »Nein, das kann ich nicht annehmen.«

»Oh doch, das können Sie, und Sie werden auch. Ich habe Anciennität; ich bestimme. Nehmen Sie!«

Ich nahm die kortn.

»Fangen Sie klein an. Ziehen Sie einzelne kortn auf offene Fragen.«

Ich sagte nichts. Mir war nach Weinen zumute.

»So, dann hätten wir das. Die administrativen Angelegenheiten haben wir ja auch geregelt. Und vergessen Sie nicht, jingele … die Geschichten sind schon geschrieben.«

»Ja«, sagte ich.

»Sie sollten nun gehen.«

Ich sagte nichts.

»Wir sehen uns ja dann.«

Ich sagte nichts.

»Ich wünsche Ihnen nicht alles Gute, denn das kommt sowieso auf Sie zu, darum wünsche ich Ihnen lieber … viel schpas.«

»Danke.«

»Auf Wiedersehen, Herr Wolkenbruch.«

»Auf Wiedersehen, Frau Silberzweig.«

Sie hielt mir ihre alte, dünne, sterbende hant mit dem Infusionsbesteck hin.

Ich ergriff sie.

Frau Silberzweig lächelte. Dann zog sie ihre hant zurik, sagte liebevoll: »Fort, fort!«, legte ihr lächelndes Haupt ins Kissen und schloss die ojgn.

Ich blieb einen Augenblick ergriffen stehen.

Dann verließ ich das zimer, in dem ein lebn zu Ende ging, und zog die tir behutsam zu.

MEINE JARMELKE WÄRE IN HOHEM BOGEN
FORTGEFLOGEN

Als ich aus dem Gebäude trat, war ich froh, am lebn zu sein und noch so viele teg vor mir zu habn.

Obwohl … wer garantiert einem schon, dass es so viele wirklich noch sind?

Vielleicht ist schon morgen alles vorbei, weil irgendein nar nicht auf den farker achtet. Weil irgendeine aufgedrehte mame am Steuer eine chassene organisiert und einen über den Haufen fährt.

Oder der kreps entscheidet sich, statt einer betagten Ketten-rojcherin einen jungen man zu befallen. Einfach so.

Man lebt vor sich hin, im Glauben, über ein dickes Konto an zajt zu verfügen, doch in Wahrheit hat womöglich schon die letzte schtunde begonnen.

Vielleicht hatte Frau Silberzweig das gemeint mit dem schpas – den Mut, stets die Dinge zu tun, die einen erfreuen?

Ich nahm mein Handy hervor und teilte Laura per SMS meine Teilnahme an ihrer WG-Party mit, was auch immer damit gemeint war. Sie hätte mich ohnehin zu allem einladen können; von mir aus zu einer Städtereise nach Gaza, ich wäre sofort mitgegangen. Oder sie hätte mich zum Islam bekehren können – meine jarmelke wäre im hohen Bogen fortgeflogen.

acht uhr freue mich

So vermeldete es mein unkoscheres Herzensgold knapp, nachdem ich wieder im ofis der Wolkenbruch Versicherung angekommen war und mich unkonzentriert einigen kleineren Aufgaben gewidmet hatte.

Mein Vater hatte den Mitteilungston gehört. Er sah kurz auf und blickte mich über seine Lese-briln hinweg in einer Art an, die schwer zu deuten war. Fast glaubte ich, darin etwas Amüsiertes erkennen zu können.

Auf dem Heimweg, den wir zusammen unter die fis nahmen, redeten wir kaum.

»Isst du bei uns?«, fragte mein tate, der mittlerweile begriffen hatte, dass diese Dinge nicht mehr vorbehaltlos stattfanden.

»Ja, aber ich bin um acht eingeladen.«

»Wo?«

Ich überlegte, was ich sagen sollte. Doch mein tate kam mir zuvor: »Ist schon gut. Es wird ein guter Ort sein, an den mein Sohn eingeladen wird.«

Er legte seinen Arm um meine Schulter, und so gingen wir einige Schritte, bevor er seine hant wieder zuriknahm und in die keschene seines schwarzen Mantels mit den zu kurzen armeln steckte.

Zu Hause, während des Essens – meine mame hatte mir den Kartoffelstock wortlos auf den teler gepappt –, fiel mir ein, dass ich gar nicht wusste, wo ich würde klingeln müssen: Wohl hatte ich mir, als ich Laura nach Hause begleitet hatte, gemerkt, dass sie an der Höschgasse wohnte, auch die hojsnumer wusste ich noch, aber ihren Nachnamen, den kannte ich nicht.

Schon wollte ich mich bei ihr melden und sie danach fragen, ließ es dann aber bleiben. Denn wenn die Geschichten schon geschrieben sind, würde das vermutlich auch auf die tir-schildlech zutreffen.

DER DA UND DU: AMORE

Nach dem kurzen und wortkargen Abendessen mit meinen Eltern ging ich in mein zimer und wog lange ab: Sollte ich mich elegant kleiden oder besser etwas aus meiner neuen Garderobe wählen?

Der Begriff »WG-Party« verriet Festlichkeit, und so wählte ich einen Anzug mit schnips. Ich sah sejer ojsgekechelt aus, wie ich nach einem kuk in den schpigl befand.

Vielleicht a bisl zu ojsgekechelt.

Ich zog den schnips wieder vom kolner herunter.

Kurz nach acht stand ich mit einem kleinen Blumenstrauß und übermütigem Herzen vor Lauras Haus im Seefeld. Entgegen meiner hofenung boten die tir-schildlech keinen Hinweis darauf, wo ich klingeln musste. Ich las sie ein zweites mol, aber ich fand nirgends Lauras Namen oder wenigstens dessen Initial.

»Gehst du auch zu Laura?«, fragte da eine Frauenstimme hinter mir. Ich drehte mich um. Es war Lauras Freundin von der uniwersitejt.

»Ja«, sagte ich. Offensichtlich bedeutete eine WG-Party nicht etwas, bei dem ich mit Laura allein sein würde.

»Nina«, sagte die Freundin und hielt mir die hant hin. Ich zögerte. Es war noch immer neu für mich, jungen, hübschen schiksn die hant zu geben. Dann tat ich es. Ninas hant fühlte sich gut an; warm und weiblich. Unglücklicherweise entschwand sie gleich wieder, und einen kurzen Moment stand ich da mit einer verzückt ausgestreckten leeren hant.

Nina hatte ein hipsches, offenes punem mit bogenvollen Brauen über einem lieben blik und trug eine kombinazje aus einer grauen Bluse über einem engen, schwarzen Top und Jeans, die in nakete, gebrojnte Sandalenfüße mündeten.

Deren Besitzerin trat vor, lächelte entschuldigend, ich verstand und gab den Platz frei, sie klingelte bei *Stanjovic Rotacher Moser Magnano* und machte wieder einen Schritt zurik.

Kurz darauf rasselte der tir-ojfmachener, ich hielt Nina die tir auf, sie lächelte wieder und ging hindurch, und während ich mich fragte, welcher der vier Namen wohl zu Laura gehörte, betrachtete ich versonnen Ninas tuches, wie er vor mir die Treppe hochschlängelte.

Auch ein guter tuches.

Im zweiten schtok stand Laura in einer offenen Wohnungstir. Sie begrüßte Nina zuerst und sejer herzlich und dann mich, etwas unklar in der Richtung: Sie küsste mich kurz auf die bak und zog mich dann an sich, löste sich aber sofort wieder mit einem unsicher wirkenden Lächeln, um sich dann Nina zuzuwenden, die gerade ihr winziges Handtäschchen auf ein ebenso minimales Möbel legte.

Einen gänzlich Fremden, dachte ich, begrüßt man so nicht, einen sehnlichst Vermissten aber wohl auch nicht –

Ich war enttäuscht.

Doch hatte ich irgendeinen Grund dazu?

Interpretierte ich die Situation zu sejer zu meinen Gunsten oder zu wenig?

Gab es überhaupt etwas zu interpretieren?

Ich war schon wieder völlig überfordert.

Aus der kich drang eine lebhafte Unterhaltung. Laura bat Nina und mich hinein und die schtimen schwollen orkanartig an, als die frojen – fínf schtik zählte ich – Nina erblickten; sie wurde mit einem wahren Begrüßungsjubel eingedeckt. Man kannte sich offenbar. Ich stand etwas blöd daneben. Nachdem der Lärm abgeebbt war und sie mir eine flasch bir in die hant gedrückt hatte, natürlich unkoscher, was mich kurz irritierte, aber nicht davon abhielt, einen gitn schlung daraus zu nehmen, stellte mich Laura den anderen vor:

Da war Luisa, eine kurzhaarige, brünette und ungefähr zwanzik jorn alte froj mit grojsn gold-brojnen ojgn und farbenfroh tätowierten Armen, von denen der eine in einem gigantischen orangefarbenen Beutel steckte, der mit *Paprika* beschriftet war. Aus diesem holte Luisa in rascher Folge ein mir unbekanntes flaches gebek heraus, um es in ihren hipschn, kleinen Mund weiterzubefördern, in dem merkwürdige Metallstifte staken. Bevor sie mich begrüßte, wischte Luisa ihre hant an ihrer hojsn ab; meine Finger waren darauf etwas krümelig.

Da war Gabi, eine froj von vielleicht drajsik jorn und zierlicher, beinahe elfenhafter Figur, die gekleidet war wie eine ältere Dame. Sie rang sich ein hefleches Lächeln ab, als wir einander bekannt gemacht wurden.

Da war die fröhliche Wanda, die nicht ganz ebenmäßige, aber simpatische Gesichtszüge hatte und schwarze hojsn und einen leichten, weißen Pullover trug, und weil ihr pechschwarzes hor von einem weißen Band zusammengehalten wurde, nannte ich sie spontan »Wandabär«, was die Runde, Wanda eingeschlossen, sejer lustig fand und Gabi überhaupt nicht (und nachdem sie über meinen kleinen Witz gelacht hatten, fühlte ich mich unter all diesen frojen schon etwas wohler, obschon sie immer wieder leicht irritiert zu meiner jarmelke hinaufschielten).

Da war Maike, eine weißblonde, großgewachsene froj aus Deutschland, die mit großem Mund und aufgestütztem Unterarm rojcherte und mich die ganze zajt fixierte. Sie fragte sich wohl, wie Laura zu mir stand. Dabei strahlte sie nichts Feindseliges aus, aber zu ihrer Art, mich anzusehen, hätten die Betriebsgeräusche eines Scanners gut gepasst.

Und da war Ena, ein bleiches Wesen von derart zauberischer, jenseitiger schejnkajt, dass ich meinen blik sofort wieder abwenden musste. Er fiel ihren kerper hinab, was aber genau den gleichen Effekt auf mich hatte, daher hob ich ihn wieder und sah in ihr hipsches punem, erstens aus heflechkajt, zweitens aus innerem Drang, was zugegebenermaßen zwaj völlig verschiedene Weisen sind, jemanden anzusehen, und ich fragte mich, ob Ena merkte, dass ich die eine Art, sie anzusehen, mit der anderen maskierte.

Und während ich ihren herrlich hellroten lipn dabei zuschaute, wie sie Worte formten, die mich darüber in Kenntnis setzten, dass sie mit Laura und Wanda zusammen das Gymnasium besucht habe und derzeit bei einem Pharmaunternehmen »in der Kommunikation« tätig sei, fragte ich mich wieder amol, warum G't keine einheitliche Formensprache verfolgen und alle frojen so gestalten konnte wie Ena und Laura …

… und ob es vielleicht doch mehr als nur einen G't gebe: einen geschickten, was die schejnkajt anbelangt, jenen G't, der die Nichtjüdinnen erschafft, und Seinen unbeholfenen Kollegen, den jiddischen G't – diesen Stümper …

Dem fakt, dass Enas lipn sich jetzt nicht mehr bewegten und sie mich mit ihren hellgrauen ojgn etwas verstört anschaute, entnahm ich, dass sie zu sprechen aufgehört hatte.

Ich fragte sie, was man denn mache, wenn man »in der Kommunikation« arbeite. Ena erklärte es mir, aber ich verstand es überhaupt nicht. Trotzdem hörte oder genauer gesagt sah ich ihr gerne zu.

Ena war ebenfalls tätowiert, an den Unterarmen. Als jid sieht man das natürlich nicht gern. Doch bei ihr machte ich eine Ausnahme, zumal sie faszinierende Tätowierungen trug; es handelte sich um wissenschaftliche Zeichnungen von zwaj Pflanzen; Eisenkraut und Lavendel, wie sie mir erklärte.

Luisa hatte nur ulkiges Zeug tätowiert; ich konnte es nicht richtig erkennen.

Irgendwann fragte ich die Runde, wie denn die vier Namen auf dem glekl zu verteilen seien, und ich lernte: Ena hieß Stanjovic, Laura hieß Rotacher, Wanda hieß Moser, und Enzo, ihr Freund, der noch einkaufen gegangen war, hieß Magnano.

Schließlich wollte Wanda wissen, woher Laura und ich uns kannten. Laura wurde a bisl rot, was ich erfreut auf der Habenseite verbuchte, und erklärte, wir studierten zusammen; ich, Nina und sie. Dazu griff sie Nina am Arm und verschwand mit ihr nach irgendwo und ich war mit den verbliebenen finf frojen allein, die sich wieder einander zuwandten und Luisa ihrem orangefarbenen Beutel.

Bloß Maike studierte mich weiter und nahm ein Gespräch mit mir auf, wollte wissen, ob ich Laura denn schon lange kenne; aha, sagte sie, noch nicht so lange, wie lange denn nun, fragte sie; und ich gab ihr informazje und sie grinste und schien sich an meiner Verlegenheit zu weiden; und ich nahm mir ein neues bir und holte zum Gegenangriff aus und fragte, warum sie das so brennend interessiere, ob wir etwa in konkurenz zueinander stünden, ob sie Laura womöglich heimlich liebe; und Maike lachte, nein, es interessiere sie einfach, und sie war weiter interessiert, an meiner jarmelke, warum ich die trage; und ich sagte, ich sei a jid, die jidn machten das so, wenigstens jene meines Religiositätsgrades; dann fragte mich Maike, warum ich so vornehm gekleidet sei; und ich antwortete, es sei doch ein Fest, also komme man festlich daher; und dann fragte Maike, ob ich etwas unkoscheren Zitronenkuchen wolle, sie habe den selbst gemacht und mitgebracht, und dazu reichte sie mir vom mit Speisen und Getränken übervollen kleinen Küchentisch a schtik Kuchen auf einer Serviette, und ich griff zu und biss hinein und es schmeckte wunderbar; das sagte ich auch: Wunderbar, Maike, ein wunderbares kuchl; und Maike fragte, ob das kein Problem sei für mich, unkoscherer Kuchen; und ich sagte: Nein, kein Problem; und Maike fragte wieder mit ihrem forschenden, aber nicht unfreundlichen kuk, ob das auch für unkoschere frojen gelte, beispielsweise hipsche Studentinnen der Wirtschaft; und ich antwortete mampfend: Nein, nein, auch kein Problem, gehe auch, ich sei ein sejer liberaler jid; und Maike fragte, ob ich das schon immer gewesen sei, und ich verneinte, erst seit kurzem sei ich dermaßen liberal, und Maike wollte wissen, ob ich es durch die Bekanntschaft mit Laura geworden sei, und ich verschluckte mich am gebek dieser deutschen Hexe und gab es zu, legte das kuchl weg und sagte: »Also, Maike, einverstanden, gut; du weißt es ja schon, ja, ich finde Laura toll«; und Maike lachte, das wisse sie bereits, das wisse sie von Laura, und Laura möge mich ja auch gut leiden, so sagte sie es: »Sie mag dich auch gut leiden«, und mein harz tat einen mächtigen Schlag, einen richtigen schprung in alle Richtungen machte es, und ich hörte auf zu kauen und stand da mit vollem und gleichzeitig a bisl offenem Mund; und Maike freute sich über diesen Anblick und schlug vor, uns einen Drink zu mixen; und ich hörte »Drink« und freute mich.

Gabi stand daneben und schaute aus dem Fenster, sie wirkte einsam dabei, und ich sagte: »Gabi, komm mit, wir machen uns einen Drink«, und sie sah mich zögernd an, als wollte ich sie veralbern, und als sie in meinem punem kein Anzeichen für schpot finden konnte, lächelte sie ansatzweise und folgte Maike und mir ins Wohnzimmer, wo sich auf dem Tisch Säulen von Plastikbechern befanden, umstanden von einer armej von bunten flaschn; alle alkoholhaltig, wie ich vermutete.

Maike mischte Drinks für uns draj und scherzte, es seien eigentlich Drinks für seks, einfach in draj Bechern, während sie großzügig aus einer flasch einschenkte, auf der *Gin* zu lesen war, und ich freute mich noch mehr, klatschte innerlich schon in die Hände.

Die tir-glok erklang und kurz darauf polterten einige mener in die Wohnung, Kartons mit Getränkedosen schwenkend wie abgeschnittene Feindesköpfe; beim nächsten Klingeln kamen schüsseltragende frojen herein, und so wiederholte sich das einige mol, und bald waren die finf zimer der Wohnung so voll, dass vor lauter mentschn nirgendwo mehr ein Möbel zu sehen war.

Der lojteste von allen war Enzo, Wandas Freund. Er war klein, aber sejer muskulös, und sein hor, das an den Schläfen schon grau war, wirkte, als wäre er gerade aus der Dusche getreten. Enzo redete viel und drehte dazu unablässig dicke Zigaretten, denen er eine Art gewirz beimischte und die dann in der Runde herumgereicht wurden. Es roch sejer stark und sis und interessant, und als mir jemand eines dieser Gebilde hinhielt, dachte ich bei mir, warum nicht, bist ja schon a halber Bewohner der gojischen Welt, also kannst auch ihre Rituale mitmachen. Ich nahm einen Zug und musste sofort furchtbar husten, und je mehr ich hustete, umso heftiger wurde der Reiz, und Enzo und seine Freunde lachten und klopften mir auf die Schulter und fragten, ob ich noch nie gekifft hätte.

Ich chorchlte nur.

Und die Runde johlte wieder, und Enzo nahm seinerseits einen tiefen Zug und guckte mich sorglos aus glasigen Äuglein an. Dann streckte er seine hant aus, rief: »Enzo!«, und ich reichte ihm meine, und er drückte und schüttelte sie mit erheblichem Ungestüm.

»Motti!«, rief ich zurik. Der Lärmpegel war beachtlich; Musik und Gespräche lieferten sich ein akustisches Duell.

»Was?«, rief Enzo.

»Motti!«, sagte ich.

»Matthias?«, fragte Enzo.

Ich trat näher zu ihm hin: »Motti! Mit o!«

Was das für ein Name sei, wollte er wissen. Den habe er noch nie gehört.

Ein jüdischer, sagte ich. Von Mordechai.

Enzo guckte konsterniert und fragte dann: »Bist du Jude?«

»Jawohl«, sagte ich, »drum der jüdische Name.«

»Ist das der Grund, warum du noch nie einen Joint geraucht hast?«, fragte Enzo.

Ich überlegte kurz und antwortete dann, da könnte ein Zusammenhang bestehen.

Und wie ich hier auf diese Party gekommen sei, wollte er wissen.

Laura habe mich eingeladen, antwortete ich.

»Aah!«, rief Enzo und machte eine kollegiale, aber auch verschwörerische Miene, die ich nicht recht zu deuten wusste.

Er hielt mir den Joint hin und ich zog nochmals daran. Nun musste ich nur zwaj mol husten und mir wurde etwas blümerant zumute. Dann gab ich das Ding an Maike weiter, die sich damit auf die Lehne des Sofas begab, um es fertig zu rojchern und schließlich dazu überzugehen, die Gesäße der mentschn zu studieren, die vor ihr durchgingen, und der froj, die neben ihr auf dem Sofa saß, ihre entsprechenden Beobachtungen mitzuteilen. Die interessierte das wenig, noch weniger als die Annäherungsversuche des Mannes neben ihr, der gestenreich und großartig auf sie einredete; von einer abenteuerlichen Sportart, soviel ich mitbekam.

Überhaupt hatten sich überall Pärchen gebildet, aus frojen, die mehr oder minder interessiert zuhörten, und menern, die sich mehr oder minder entspannt mit ihnen unterhielten. Jene, die ihr Wort an Ena richteten, waren überhaupt nicht entspannt oder dann gleich völlig übertrieben, während sich mit Gabi gar keiner unterhielt. Sie stand am Fenster und tippte auf ihrem Handy herum, das sie alle paar sekundn von neuem aus ihrem hant-bajtl hervorklaubte. Manchmal nippte sie an ihrem Becher. Sie wirkte, als wäre sie gern woanders gewejn.

Mindestens finf mol an diesem uwnt musste ich jemandem erklären, warum ich eine jarmelke trug. Ein »Käppchen«, wie sie genannt wurde. Irgendwann wurde es mir zu blöd und ich ging zur Erklärung über, ich sei der Chef der jüdischen Weltverschwörung und dies sei die offizielle Kopfbe-deckung dieses Würdenträgers. Zu meiner Verwunderung wurde mir diese Behauptung jedes mol staunend abgekauft. Meine darauffolgenden Beteuerungen hingegen, ich hätte einen Scherz gemacht, ich sei ein normaler jid, erzeugten Stirnrunzeln. Vermutlich glaubte man bereits, es sei üblich für das Personal der jüdischen Weltverschwörung, seine Mitarbeit daran zu leugnen.

Als ich mir am zur Bar umfunktionierten Esstisch einen neuen Drink eingoss, der wieder problemlos für zwaj Personen gereicht hätte, Personen des Zuschnittes meiner mame, musste ich entsetzt feststellen, dass sich einer von Enzos Freunden vor Laura aufgebaut hatte. Sie folgte seiner Rede mit einem sisn Lächeln und sah ihm aufmerksam in die ojgn. Dabei musste sie recht weit hinaufschauen, denn der Kerl war groß gewachsen und sah zudem, wie ich anerkennen musste, tajwlsch gut aus.

Zu meiner Bestürzung legte Laura dann lachend ihre hant auf den Unterarm dieses Mannes und er zog sie an sich. Sie erwiderte die Umarmung mit sichtlicher Hingabe.

Mein harz würgte vehement, da schleuderte jemand seinen Arm um meine Schulter. Es war Enzo.

»Du musst gar nicht so eifersüchtig schauen«, sagte er, in der hant eine Gin-flasch, aus der er sich großzügig und direkt bediente: »Das ist Marco, der Bruder von Laura.«

Enzo legte etwas mehr Gewicht in seinen Arm und damit auf mich, und ich merkte, wie unsicher er auf seinen fis stand.

Ob Laura und ich denn schon etwas »zusammen gehabt« hätten, wollte er wissen, bevor er ungehemmt direkt neben meinem ojer grepste.

Ich wusste nicht, was er meinte, konnte es mir aber denken.

»Nein«, sagte ich.

Das sei schlecht, meinte er, ganz schlecht, das gehe nicht, da müsse man etwas machen, das gehe so nicht, und zog mich in Lauras Richtung.

Was er vorhabe, fragte ich, ließ mich aber mitziehen.

Er sei Enzo, der Engel der Liebe, fälschlicherweise unter dem Namen Amor aktenkundig, und er müsse seines Walles ammen.

»Was?«, fragte ich.

»Amtsen wallen«, sagte Enzo, blieb stehen, nahm einen schlung aus der flasch und rief: »Amtes walten!« Er freute sich, dass ihm der Satz gelungen war, und zog mich weiter durch die Menge, bis wir endlich bei Laura und ihrem Bruder angelangt waren.

»Marco, fort!«, sagte Enzo zu Lauras Bruder. Er hielt ihm die Gin-flasch vor die brist und stieß ihn damit weg. Marco lachte, nahm die flasch, schenkte seinen und meinen Becher damit bis zum Rand voll und gesellte sich zu zwaj jungen menern mit langen horn.

Laura sah neugierig zwischen Enzo und mir hin und her.

»Ja?«, sagte sie und hob ihre Augenbrauen, die mich wieder amol an zwaj französische Akzente erinnerten.

»Der da«, sagte Enzo und tippte mir auf die Schulter, »der da und du« – er zeigte auf Laura – »der da und du: amore.«

Laura lachte lojt auf, während ich mich am liebsten in ein nischt aufgelöst hätte.

Enzo bekam es nicht gut, allein zu stehen; er lehnte sich wieder an mich.

Das sei nicht lustig, sagte er ohne bestimmten Adressaten; amore sei kein Witz, sondern eine seriöse Sache.

»Okay, Enzo, niemand lacht«, sagte Laura und setzte ein gespielt ernstes punem auf, nachdem sie mich wieder amol in einer Manier angeschaut hatte, die mich den himl und alles darüber erhoffen ließ.

Enzo korrigierte mit erhobenem tajtfinger: »Amor. Mein Name ist Amor. Nicht Enzo. Und Amor ist jetzt schlecht.«

Er hatte tatsächlich eine ungesunde farb angenommen.

»Scheiße«, sagte Laura, blickte in Richtung des klosets, überschlug die zajt, die wir zu dritt dorthin brauchen würden, und entschied sich für den Balkon hinter ihr. Wir schafften es gerade noch, in die grupe von finf rojchndiken lajt dort eine Schneise zu rufen, da hing Amor auch schon über dem Geländer und machte drollige Geräusche, was rundherum für großes Amüsement sorgte.

Dass er von Laura auf ein Sofa verfrachtet, mit waser versorgt und darüber informiert worden war, dass es für ihn nichts anderes mehr zu trinken gebe, versetzte ihn in großes Maulen. Es hielt jedoch nicht lange an; Enzo versuchte noch, einen neuen Joint zu fabrizieren, fiel aber schon nach wenigen Handgriffen in eine tiefe Bewusstlosigkeit; und die bereits zerkrümelte narkotik, die er bereitgehalten hatte, verstreute sich auf seinem bouch, wo sie nun durch seine Atmung auf und ab wogte und teilweise auf das Polster purzelte.

Gegen zwaj Uhr morgens begann sich die Gästeschar etwas zu lichten, was die Sicht auf ein schlimmes Durcheinander freigab: Der Parkettboden war voller Unrat, bestehend aus Kuchenkrümeln, Zigarettenstummeln und Getränkepfützchen, gut vermischt und festgetreten. In einem Pflanzenkübel qualmte ein vergessener papiros wolkig weiter.

Ich setzte mich mit einer Dose nicht ganz kaltem bir auf das Sofa neben Maike, die sich schon länger nicht mehr von dort wegbewegt hatte und mich mit halbgeschlossenen ojgn, aber klaren Worten zum Unterricht bat.

»Herr Wolkenbruch«, fragte sie, »darf ich Ihnen einen kleinen Rat geben?«

»Gern.«

»Frauen schätzen es, wenn ein Mann sich ein wenig rarmacht.«

»Rar?«

»Rar.«

Ich überlegte. Aber ich verstand nicht ganz. Maike sah es.

»Hören Sie, ich kann verstehen, dass Laura Ihnen gefällt. Sie ist eine sehr schöne Frau. Nun müssen Sie sich aber mal in Laura versetzen. Sie ist es gewohnt, dass die Männer sich für sie interessieren. Und zwar ziemlich alle. Demzufolge braucht sie in dieser Hinsicht nie etwas zu unternehmen. Können Sie mir folgen?«

»Ich kann Ihnen folgen«, sagte ich und nahm einen schlung bir.

»Schön. Mögen Sie Eiscreme, Herr Wolkenbruch?«

»Nein.«

»Was mögen Sie?«

»Matzenknödel.«

»Gut. Stellen Sie sich vor, Sie könnten überall, wo Sie hinkommen, einen Teller Matzenknödel haben, und zwar kostenlos. Sie bräuchten nichts dafür zu tun; die Knödel würden Ihnen überall und jederzeit angeboten. Mitunter würden sie Ihnen sogar energisch ins Gesicht gestreckt.«

»Ich kann mir vorstellen, dass ich Matzenknödel eines toges nicht mehr so verlockend finden würde«, stieg ich in Maikes Überlegungen ein.

»Genau. Sie fänden Matzenknödel recht bald recht langweilig.«

»Ja.«

»Obwohl Sie sie mögen.«

»Ja.«

»Stellen Sie sich nun vor, Sie träfen jemanden an, der wohl Matzenknödel besitzt, Ihnen aber keine anbietet. Sie sähen: Dieser Mensch ist mit seinen Knödeln ganz glücklich; er hat sie gern für sich.«

»Ja.«

»Wie gesagt, grundsätzlich mögen Sie Matzenknödel noch immer, daran ändert sich ja nichts. Und nun bekommen Sie Appetit. Doch man bietet Ihnen noch immer keine Knödel an. Was werden Sie tun?«

»Ich würde nett fragen, ob ich welche bekommen könnte.«

»Richtig. Sie würden beginnen, sich für die Knödel zu interessieren und sich um sie zu bemühen. Verstehen Sie nun, was ich meine, wenn ich Sie dazu ermuntern möchte, sich rarzumachen?«

»Ich glaube schon.«

»Das würde übrigens dort beginnen, wo Sie aufhören, Laura andauernd anzusehen, als wäre sie... eine Offenbarung.«

»Aber für mich –«

»...ist sie eine Offenbarung, schon klar. Es geht ja auch nicht darum, die Tatsachen zu leugnen, sondern anders mit ihnen umzugehen.«

»Ich verstehe.«

»Gut. Gut, dass Sie verstehen, denn ich muss mich jetzt entschuldigen. Stoffwechsel. Mögen Sie Stoffwechsel?«

»Ja, sejer. Ich bin Jude. Wir nehmen aus vollem Herzen Anteil am Metabolismus unserer Mitmenschen. Planen Sie einen kleinen oder einen großen Stoffwechsel?«

»Einen großen, Herr Wolkenbruch. Wir Deutsche sind ja nicht umsonst Exportweltmeister.«

»Dann bleibt mir nur, Ihnen viel Vergnügen zu wünschen, Frau...«

»Frau Waigel.«

»Wie der –«

»Wie der einstige Finanzminister, ja. Aber nicht verwandt.«

»Ich dachte es mir. Die Augenbrauen passen nicht.«

»Danke. Und auf Wiedersehen.«

Sie erhob sich.

Sind gar nicht so übel, die dajtschn, fand ich.

Zwischenzeitlich hatte Laura ihren Bruder und andere Gäste verabschiedet und setzte sich zu mir aufs Sofa, wo sie rundheraus fragte: »Also, Herr Wolkenbruch...« – sie schien tichtig ongetrunkn – »...können Sie sich erklären, was Enzo mit ›amore‹ gemeint haben könnte? Ich bin mir nicht sicher. Haben Sie eine Idee?«

Dazu guckte sie zu gleichen Teilen spöttisch und einladend, und ich gab zur Antwort: »Leider nein, Frau Rotacher. Aber er vermutete, in Ihrem Zimmer seien weitere Hinweise zu finden.«

Es schien mir der falsche Zeitpunkt, Maikes Anregung des Rarmachens umzusetzen.

Laura nickte wieder mit ihrem Ernstgesicht, schenkte uns zwaj Gläser Rotwein ein, reichte mir eines und sagte: »Dann sehen wir doch mal nach.«

Sie hielt mir ihre hant hin und führte mich in den koridor.

An dessen Ende bogen wir rechz ab.

HABEN SIE MIR HEUTE AUF DEN TUCHES GESCHAUT, HERR WOLKENBRUCH?

Lauras zimer war leer. Und bis auf das schmale, rötliche Licht eines Nachttischlämpchens auch dunkel.

Behutsam, als wolle damit etwas angedeutet werden, schloss Laura die tir. Dann trat sie zu mir.

»Haben Sie mir heute auf den tuches geschaut, Herr Wolkenbruch?«

Sie trank aus dem Weinglas. Über den Rand hinweg schaute sie mir weiter in die ojgn.

»Acht mol«, sagte ich, »zwaj mol fehlen noch für mein Tagessoll.«

Ich war schiker genug, solch übermütige Dinge zu sagen, und nahm auch einen schlung, ebenfalls ohne die ojgn von meinem Gegenüber zu nehmen.

Der Wein war natürlich nicht koscher, schmeckte aber trotzdem.

Ich nahm noch einen schlung und korrigierte mich: vermutlich gerade deswegen, nicht trotzdem.

Laura trat zwaj, draj Schritte zurik, mit dem letzten drehte sie sich um. In aller Natürlichkeit nahm sie eine Pose ein wie eine Statue in einem alten gortn, den kop gesenkt, ein bejn gestreckt und das andere gebeugt, das Kreuz leicht hohl.

Es war ein guter Anblick. Vor allem in der Mitte.

»Neun«, sagte Laura und lächelte mich über ihre Schulter an, dann drehte sie sich wieder um, schaute mir lange in die ojgn, nahm meine hant und umspielte meine Finger in einer Zärtlichkeit, die mich überraschte. Ich hatte Laura bislang als ein leichtfüßiges und verwegenes Wesen erlebt. Nun wirkte sie auf einmal sejer verletzlich auf mich.

Ich fühlte mich ihr so nah wie nie einem Menschen zuvor, obgleich so viel noch zwischen uns stand, Ungesagtes, Ungetanes, Ungefühltes, von dem auch niemand wusste, ob es je ausgesprochen, erlebt und empfunden werden würde; doch all das hatte kein Gewicht in diesem Augenblick, es sprachen nur noch die kerper und erzählten von einem freudigen Wiedersehen der Seelen.

Laura nahm mir das glos aus der hant und stellte es zusammen mit ihrem auf den kleinen Schreibtisch in der Ecke des Zimmers.

Und ein letztes mol standen wir uns gegenüber als mentschn, die sich noch nie berührt hatten.

Wir genossen den Moment.

Dann schmiegte sich Laura an mich und legte langsam ihre lipn auf meine.

Am Boden entstand ein Kleiderhaufen.

»Zehn«, keuchte Laura schpejter. Ich brauchte einen Moment, bis ich verstand.

SOFORT STAND ICH WIEDER
IN HELLER FLAM

Ich erwachte, weil Laura im schluf ihren Ellbogen in meine Rippen rammte. Obschon ich sejer mid war und es gerade erst zu dämmern begann, schlief ich nicht gleich wieder ein, sondern ergötzte mich eine Weile an Lauras Anblick und der situazje.

Zum Sang der Amseln fiel ich nochmals in einen rasanten Traum, bis Laura mich weckte, indem sie so lange »Herr Wolkenbruch« flüsterte, bis ich die ojgn aufschlug und geradewegs in ihre blickte. Es war ein etwas fremdlicher Moment; wir hielten ihn nicht lange aus und suchten geschäftig unsere schmattes zusammen.

Laura, schließlich mit Slip und T-Shirt angetan, lächelte verlegen und verschwand aus dem zimer. Kurz darauf hörte ich vom koridor her dumpf eine Toilettenspülung.

Ich blieb noch einen Augenblick auf der Bettkante sitzen und betrachtete, bereits etwas nostalgisch, den Ort meiner frejd.

Dann erhob ich mich und zog meine Schuhe an.

Ich fand Laura in der kich, zusammen mit der ebenfalls knapp verhüllten Ena, die sich an einer Tasse tej festhielt und währenddessen von einem hinter ihr stehenden Schönling an der Taille umfasst wurde. Er machte den Eindruck, als würde er Ena niemals wieder hergeben wollen, während sie darum bemüht war, so zu tun, als wäre er gar nicht hier.

»Hallo«, sagte ich von der tir her.

»Hallo«, sagte Ena und blies in ihre Tasse.

»Hlo«, machte der Schönling.

Laura goss sich aus dem Wasserkocher ebenfalls eine Tasse ein. Mir bot sie nichts an. Dafür suchte sie Enas blik.

Da patschte mir jemand voller Wucht auf den tuches.

Derschrokn drehte ich mich um. Es war Enzo, der aus rätselhaften Gründen bereits wieder zu seinem alten kojch gefunden und sich auch schon wieder mit einem frischen Joint bewehrt hatte.

»Der Sohn Israels!«, rief er vergnügt und bot mir das heftig qualmende Ding an. Ich lehnte dankend ab, mein Hirn war klebrig genug. Enzo kratzte sich am kop, dann holte er aus seiner hojsn-tasch sein Telefon und bat mich um meine numer; seiner Meinung nach müsse man gelegentlich etwas trinken gehen. Ich fand das gut und nannte meinen Anschluss, den er nach dem Speichern gleich wählte, wodurch es in meiner hojsn-tasch klingelte. Ich nahm mein Telefon von dort heraus und speicherte die angezeigte numer unter Enzos Namen.

Ein interessantes Ritual, dachte ich.

Enzo beschaffte sich in der Küche einen opfal-sak und begann zielstrebig, Müll vom Boden aufzulesen. Dazu imitierte er mit dem Mund die rhythmische Musik, die am uwnt zuvor gelaufen war.

Ich sah diesem Energiewunder kurz zu, dann drehte ich mich um und sprach in die kich hinein: »Ich gehe dann mal.«

Laura und Ena unterhielten sich leise, während der Schönling gelangweilt aus dem Fenster sah, als stünde er jeden Morgen mit einer attraktiven froj in irgendeiner kich.

Mit unbestimmbarem Gesichtsausdruck stellte Laura ihre Tasse ab und trat zu mir in den koridor hinaus. Dort umarmte sie mich und war mir dabei a bisl fremd. Ich umarmte sie zurik und wollte die Fremdheit verschwinden machen, doch sie blieb.

»Also«, sagte Laura.

»Also«, sagte ich.

Einen Moment lang blieben wir so voreinander stehen, dann wurde mir klar, dass Laura weder etwas fragen noch etwas sagen wollte, und ich beugte mich vor und küsste sie auf den Mund.

Und als hätte sie sich plötzlich anders entschieden, als wollte sie plötzlich nicht mehr fremd sein, erwiderte sie meinen Kuss und machte ihn zu einem Küssen.

Sie hatte nicht so gitn otem, aber es war mir egal. Sofort stand ich wieder in heller flam. In meinem rukn hörte ich Enzo chuchemen.

Ich löste mich von Laura, was mir schwerfiel, löste auch meinen blik von ihr, öffnete die Wohnungs-tir, rannte die Treppe hinunter und trat auf die morgendliche Höschgasse hinaus, wo gerade ein Straßenreinigungsfahrzeug vorbeifuhr. Fleißig wie Enzo.

Während ich im Tram nach Hause fuhr, spürte ich in meiner keschene Frau Silberzweigs kortn. Ich befreite sie aus dem Seidentuch und zog eine. Sie trug die numer elf. Es waren darauf zwaj peitschenähnliche Objekte zu sehen. Was das bedeutete, wusste ich nicht. Ich nahm mein Handy hervor und googelte *lenormand 11*.

Diese Karte steht für mündliche Auseinandersetzungen, fand ich geschrieben.

Doch Moische schwieg hinter dem Tachles hervor

Vor unserem Haus stand ein polizaj-ojto. Die dazugehörigen Polizisten befanden sich, wie ich herausfand, in unserer Wohnung, in ihrer Mitte meine völlig aufgelöste mame, die, als ich zur tir arajnkam, einen Urschrei von sich gab und in die Knie brach.

Die bejden Polizisten, ein älterer, kleiner mit Schnauz und ein jüngerer, großer mit Schnauz, wollten ihr aufhelfen, doch sie blieb am Boden, auf allen vieren, in die hant gekrallt ein nostichl, das sie sich immer wieder vors punem hielt.

Mein tate stand hilflos daneben.

»Ist das Ihr Sohn?«, fragte der kleine Polizist und beugte sich zu meiner mame hinab.

Sie gab ein verschluchztes Geräusch von sich, das sowohl Ja als auch Nein heißen konnte, weswegen der große Polizist die gleiche Frage stellte. Auch er beugte sich hinunter. Bei ihm sah es noch komischer aus, weil er so lang war.

Nun antwortete mein tate: Ja, dies sei der Sohn.

»Wo sind Sie gewesen?«, richtete der kleine Polizist das Wort an mich.

»Das geht Sie doch nichts an«, gab ich zurik und schloss die tir hinter mir.

»Doch«, sagte der kleine Polizist und trat auf mich zu. Er hielt einen Notizblock in der hant und erwartete mein Diktat.

»Nein«, sagte ich und ging zur tir meines zimers, »außer Sie haben einen konkreten Verbrechensverdacht gegen mich.«

Den schien er nicht zu haben. Er ließ den Block sinken.

Derweil greinte meine mame weiter am Boden herum und ließ sich partout von keinem aufhelfen; es machte immer amol wieder jemand den Versuch.

Die Polizisten standen noch etwas herum, aber es gab augenscheinlich nichts mehr zu tun. Der Fall war gelöst.

»Also«, sagte der große.

»Also«, sagte der kleine.

Wie Laura und ich vorhin, dachte ich.

Außer dass diese bejden nachher gemeinsam weggehen würden.

Der kleine Polizist ließ es sich nicht nehmen, mich noch zu ordentlicher Abmeldung zu ermahnen, sollte ich wieder amol beabsichtigen, die Nacht auswärts zu verbringen.

»Mache ich«, sagte ich.

Er wandte sich schon zum Gehen, da sah er mich unversehens seltsam an, kniff die ojgn, trat näher, schnüffelte zwaj mol scharf in die Luft und fragte: »Haben Sie vorhin Marihuana geraucht?«

»Ich nicht, nein.« Die Frage zielte auf einen zu kurzen Zeitraum, um mich zu betreffen, beschloss ich.

»Wer dann?«

»Ein anderer. Der macht das schon am frühen Morgen.«

Meine mame stöhnte qualvoll auf, als sie vernahm, in was für einem Milieu ich mich bewegte.

Der Beamte schien abzuwägen, was mit mir zu tun sei. Er starrte in rascher Folge erst in mein linkes ojg, dann in mein rechtes, wieder in mein linkes und wieder in mein rechtes.

»Also gut«, knurrte er.

»Dann ist ja jetzt alles wieder in Ordnung«, sagte der große Polizist in die Runde. Er versuchte, einen ermunternden Tonfall anzuschlagen.

Endlich erhob sich meine mame ächzend, mit der hilf meines Vaters.

Die Polizisten verabschiedeten sich.

Der kleine schaute mich noch amol bejs an.

»Motti, wo bistu gewejn?«, fragte mein tate.

Ich bat darum, erst duschen und mich umziehen zu dürfen, bevor ich Auskunft erteilte. Der tate gewährte es. Die mame wimmerte.

Ungern wusch ich die Erinnerung an Laura von mir ab. Doch das waser erquickte mich ungemein.

Während ich mich abtrocknete, übte ich im schpigl den von allem abgekoppelten blik des Schönlings aus der kich. Es gelang mir ganz gut.

Mit frischen Kleidern trat ich ins Wohnzimmer zu meinen Eltern, wo sie nebeneinander auf dem Sofa saßen. Sie erschienen mir alt und schwach. Und sie taten mir leid.

Ich setzte mich gegenüber in einen der bejden Sessel.

»Also, Motti, wo bistu gewejn?«, fragte mein Vater abermals.

Meine mame putzte sich lojt die nos.

»Ich habe auswärts übernachtet«, sagte ich.

»Wo?«

»Bei Laura«, sagte ich nach einer kurzen Pause, in der ich überlegte, ob a mentsch in meinem elter wirklich solche Fragen beantworten muss. Aber ich hatte keine Lust zu lügen.

Meine mame gab einen entsetzten krechz von sich. Dann fragte sie: »Wer ist Laura?«

»Ich kenne sie von der uniwersitejt.«

»Die schikse?« Die Frage geriet ihr gellend.

»Ja.« Das kommt nicht gut, dachte ich; das kommt nicht gut.

»Wieso hostu dort übernachtet? Ist keine tramwaj mehr gefahren? Du hättest ein taksi nehmen können!«, versuchte die mame die schreckliche Gewissheit abzuwenden.

»Ich wollte aber kein taksi nehmen.«

»Wieso nicht! MAN ÜBERNACHTET NICHT BEI EINER SCHIKSE!«

In unguter Vorahnung rutschte mein Vater etwas von meiner mame weg, nahm vom Stapel auf dem Clubtischchen ein *Tachles* und legte es sich wie einen kleinen Schild auf den Schoß. Nervös blickte er von seiner froj zu mir und wieder zurik.

Noch bestand die meglechkajt, allem eine besänftigende Wendung zu geben, etwa zu behaupten, ich sei lediglich schiker gewejn, mehr nicht, und überdies hätte ich im Gästezimmer genächtigt, nirgendwo sonst, zudem habe mir der Umgang mit der schikse gezeigt, wo mein harz zu Hause sei, nämlich nicht in der gojischen Welt, sondern hier, in der jiddischkajt, im Schoß der mame; ich wisse auch nicht, was plizling in mich gefahren sei, doch nun hätte ich wieder a farnuftigkajt angenommen, man brauche sich nicht weiter um mich zu sorgen –

Usw.

Allein, ich wählte den Weg der Wahrheit und tischte sie meinen Eltern auf:

Dass ich bei Laura übernachtet hätte, weil ich das so gewollt hätte.

Seit Monaten schon.

Mit ihr intim zu sein, sei mein größter Wunsch gewejn.

Und nun habe er sich endlich erfüllt.

Mit jedem Wort war meine mame bleicher und ihre ojgn größer geworden.

Sie rief: »Wus is mit dir?«

Sie rief: »Gaj awek!«

Sie rief: »Ruft a doktor! Nemt mich in schpitol! Holt die Hazoloh!«

Mein tate hingegen sagte nichts; er hatte das *Tachles* aufgeschlagen und vor sein punem geführt. Er war schon gar nicht mehr zu sehen.

Meine mame riss an seinem armel herum; »Moische, Moische«, rief sie, »hostu gehert, der Motti ist vollkommen meschigeh!«

Doch mein tate reagierte nicht; er starrte weiter in sein Heft hinein, und als es meiner mame gelang, es ihm wegzureißen, nahm er sich schnell ein neues vom Tisch.

Ich fuhr fort:
Dass ich in Laura verliebt sei.
Und dass wir jetzt ein por seien.
(Ich sagte es einfach mol so.)
(Vielleicht stimmte es ja.)

Meine mame fing lojt an zu weinen, rief: Es gebe uns, die jidn, seit finf-tojsnt jorn, ja fast seks-tojsnt, und wegen solchen lajt wie mir gehe alles kaputt! Moische! Sag auch was!
Doch Moische schwieg hinter dem *Tachles* hervor.

Meglech, entgegnete ich, dass mein Verhalten die jiddische sach beschädige, aber es gebe ja zum glik genug mentschn wie sie, meine mame, die den Karren am Laufen hielten; ich machte mir da eigentlich keine sorgn ums Judentum, sagte ich.

Nun nannte mich die mame: a grubian, an ojswurf, a hefker-hunt und a malech-chabole, mechule sei ich und diese Laura a schlumpe und a geschwilechz und die Geschichte mit ihr ganz a linke libe! Ich hätte a grejniz überschritten, das führe unweigerlich zur mechize, UNWEIGERLICH; wo hier der kibed-ejm geblieben sei, sie sei immerhin MEINE MAME, ob dies denn nichts mehr bedeute, ich brächte sie noch in den morg!
Dort könne ich sie dann besuchen! IM MORG!

Ojspatschn müsse man mich, OJSPATSCHN!

Sie hob die hant und schlug in die Luft und spuckte und fauchte beim Reden. Es war gar nicht so leicht zu verstehen, was sie genau von sich gab.

Aber offen gestanden interessierte es mich auch nicht.

Ich erhob mich und sagte das.

Mir war jetzt nach einem eigenen lebn.

Ich sagte auch das.

Dann ging ich zur tir.

Ein eigenes lebn, das könne ich haben!, DAS KÖNNE ICH HABEN!, apostrophierte meine mame hinter mir her.

Ich beeilte mich, an die frische Luft zu kommen.

Es war ein strahlender frimorgn.

DRITTER TEIL

> *Der mentsch is, wus er is,*
> *uber nischt, wus er is*
> *gewejn.*
>
> Noch ein jüdisches
> Sprichwort

Sie weiss es, er weiss es nicht

Eigentlich hätte mich an diesem tog, einem Mittwoch, die uniwersitejt erwartet, doch nach den jüngsten gescheenischn musste ich mich erst mol ordnen. Also fasste ich im Hauseingang mein redl, fuhr zum Rieterpark und spazierte unter den hoheitsvollen, knospenden Bäumen hindurch, deren Namen ich nicht kannte und auch nicht kennen wollte. Ich fragte mich, aus welchem Grund die mentschn den gewiksn und den chajes und den bargn und den schtern so unbedingt Namen geben müssen; allem einen Namen geben…

Da fiel mir ein, dass ich von Michal ja auch hatte wissen wollen, was das gewejn war zwischen uns. Und was aus der Geschichte mit Laura würde, das hätte ich ja auch ganz gern gewusst. Da hätte ich ja auch gern einen Namen gehabt.

Libe, zum Beispiel.

A fojgl ließ sich vernehmen.
Vermutlich eine Amsel.

Es war halb ein Uhr nachmittags und mittlerweile richtig heiß, und ich bereute es, schwarze hojsn angezogen zu haben, was ohne genaue Absicht erfolgt war, wie auch die

Wahl des weißen Hemdes. Und da ich mein bertl schon seit ein paar teg nicht mehr getrimmt hatte, sah ich ausnahmsweise wieder amol aus wie ein orntlecher jid.

Reue überkam mich; über den Niedergang meiner familiären Verhältnisse und den Verlust meiner jiddischkajt, die sich mittlerweile nur noch als Ergebnis zufälliger Griffe in den Kleiderschrank zeigte, gewiss aber nicht länger in meinem Verhalten.

Auf der anderen Seite war ich hocherfreut über die Folgen ebendieses Verhaltens, über die Orte, an denen der jid landet, wenn er das Steuer herumreißt und den jiddischen Lebensweg verlässt, hinausrumpelnd in die gojische Wildnis, direkt vor di fis fun di nakete schikse.

Ich suchte mir eine Sitzbank, die halb ojf der sun, halb ojf dem schotn war, so dass meine bejner nicht länger schmorten, und ließ die Bilder an mir vorüberziehen, die der gestrige uwnt in mein Gehirn gezaubert hatte.

Ich erinnerte mich, wie ich Lauras helle, kleine Brustwarzen abschleckte … wie sie dasselbe mit meiner schlong tat … wie sie aufstöhnte, als sie sich auf mich herabsenkte … wie ich mit meinen Händen ihren tuches hielt dabei … wie berauschend ihr kerper anzusehen war, in all diesen Posen … wie sie neben mir einschlief …

Nichts wünschte ich mir mehr als eine baldige, am liebsten sofortige Weiterführung.

Zwaj alte frojen spazierten an mir vorbei.

»Grüezi!«, sagte die eine alte Dame, die meines Erachtens viel zu warm angezogen war.

»Grüezi!«, sagte die andere alte Dame.

»Grüezi!«, sagte ich.

Und fragte mich, ob die bejden in ihrer Jugend auch mol solch herrliche Dinge getan hatten wie Laura mit mir gestern. Es fiel mir schwer, es mir vorzustellen.

Ich überlegte, ob ich Laura anrufen sollte. Der Anstand gebot es, wie ich fand. Man schläft ja nicht einfach mit einer froj und geht dann weiter, als hätte man eben mol einen bajtl Obst eingekauft.

Und doch, ich hatte keine Ahnung, was mich erwarten würde. Unser morgendlicher Abschied war von einer seltsamen Scheu überspannt gewejn, die durchaus dazu gepasst hatte, dass wir zuvor miteinander so weit gegangen waren, aber gerade deswegen auch wieder nicht…

Würde Laura immer noch distanziert sein, wenn ich sie anriefe?

Oder all das sagen, was ich mir erhoffte?

Hallo Motti, ich vermisse dich? Treffen wir uns, ich will mehr davon?

Oder würde sie gar nicht erst das Telefon abnehmen?

Zu meiner Ekstase gesellte sich Panik.

Kein schönes por.

Dennoch fand ich es sejer faszinierend, dass die frojen offenbar stets wissen, was geschehen wird, während der man blind rätselt:

Wird man miteinander schlafen?

Sie weiß es, er weiß es nicht.

Wird man sich wiedersehen?
Sie weiß es, er weiß es nicht.
Was wird dann geschehen?
Sie weiß es, er weiß es nicht.

So blieb ich sitzen, beglückt und zerwühlt, bis ich darüber hungerik wurde und mir aus dem Café des Rietberg-Museums einen Tomaten-Mozzarella-Salat und einen Fruchtsaft holte. Der Salat war nicht koscher. Aber was spielt es noch für eine Rolle, dachte ich mir, kehrte zu meiner Bank zurik und kaute mit vollen bakn.

Ein Windchen flinkte durch die Blätter des Baumes neben mir.

Auf dem absurd blauen See standen Dutzende winziger weißer Segel scheinbar schtil.

Ich schloss die ojgn.

Ein fojgl zwitscherte.

Vermutlich eine Amsel.

Schritte knirschten her.

Vermutlich eine alte Dame. Die vielleicht amol eine junge, verführerische Dame gewejn war.

Die Schritte entfernten sich.

Ein kleines Kind lachte.

Die Amsel rief wieder.

Ich merkte, wie erledigt ich war; von den vielen Drinks am uwnt zuvor, dem wenigen schluf, der köstlichen Aufregung und dem gerangl mit meinen Eltern.

Bevor ich einschlief, hörte ich, wie der wint in den bojm fuhr und die Blätter aufraschelte.

Früher gab es immerhin
nur keinen Brif

Als ich wieder erwachte, tat mir der Nacken weh. Mein kop war auf meine rechte Schulter gekippt. Ich streckte meine Arme und sah dabei auf die Uhr. Es war über eine schtunde vergangen.

Sofort gelangte ich wieder bei meinen erotischen Phantasien an. Um diesbezüglich vorwärtszukommen, holte ich mein Handy aus der hojsn-tasch und rief *Supergojete* an.

Nachdem das Telefon die Verbindung hergestellt hatte und das erste Läuten zu hören war, fürchtete ich, vor lauter Nervosität platzen zu müssen.

Was sollte ich sagen? Die holden Sätze, die ich mir zurechtgelegt hatte, waren alle fortgewirbelt.

Es klingelte zum zweiten mol. Mein harz pochte ungestüm.

Was würde Laura sagen?

Nach dem sechsten Läuten hängte ich ojf.

Vermutlich hatte Laura ihr Handy auf schtil gestellt. Oder es lag in ihrem hant-bajtl. Oder sie war auf dem kloset.

So oder so würde sie bald zurikrufen, sagte ich mir und legte das Handy neben mich auf die Bank.

Doch gurnischt geschah. Nicht in der ersten minut nach meinem Anruf, nicht in der zweiten und nicht in der zwanziksten.

Wie brachial sich doch mein lebn verändert hatte.

Eben noch war ich a klejner jid mit einem Alltag ohne jeden Funken Surprise gewejn: Nach dem Aufstehen wusch ich meine Hände, am schabbes gab's tscholent, zu pajsech gab's knajdlech und zu chanike die lichtlech und zwischendurch ging ich zu einem Vorstellungsgespräch mit einer jungen froj.

Irgendwann hätte ich einen der mütterlichen Partnervorschläge akzeptiert und für den Rest meines Daseins die jiddischen Feiertage begangen, viele kleine jidn gemacht und eines fernen, leisen toges meine letzte chanike gefeiert. Und meine Seele wäre im Bündel des ewigen Lebens eingebündelt worden.

Es hätte ganz simpel sein können. Schön unkompliziert. Alles schön schwarz-weiß. Schwarze hojsn, weißes Hemd. Aber nein, ich musste mir ja von einer schikse das harz rauben lassen und jetzt, völlig verkatert und mit kritisch belastetem Verhältnis zu den Eltern, auf dieser Bank hier sitzen und wi a nar auf mein Telefon glozn, das keinen Ton von sich gab.

Ich war mir bewusst, dass ich meine Laune vollkommen davon abhängig machte, wie Laura sich mir gegenüber verhalten würde. Doch dieses Wissen war nutzlos, sah ich doch, zumal nach gestern Nacht, keinerlei Trost in einer lauralosen Welt, während allein der gedank an sie mich wärmte.

Langsam tat mir der tuches weh vom Sitzen und der kop von den sentimentalischen Übertreibungen. Ich erhob mich und ging zurik zu meinem redl, schloss es auf und hielt den Lenker in den Händen, bereit zur Abfahrt. Doch ich blieb schtil stehen. Niedergeschlagen fragte ich mich, wohin ich nun gehen sollte, und merkte, dass ich das nicht nur im aktuellen Moment nicht wusste, sondern überhaupt.

Ahajm?
Eher nicht.

Uniwersitejt?
Keine Lust.

Laura?
Ging nicht ohne auffordernde Signale ihrerseits, die ärgerlicherweise weiterhin ausblieben.

Da klingelte mein Telefon. Ich ergriff es fieberhaft.
Enzo, stand darauf. Ich fluchte lojt.
»Schalom!«, rief Enzo guter Dinge. »Wie geht es dir?«
»Jo, jo«, sagte ich.
»Was ist los?«
Das wusste ich ja selbst nicht so genau.
»Laura?«, fragte er.
»Irgendwie schon«, sagte ich.
»Ach … die Frauen!«, rief Enzo.
»Ja … die Frauen«, sagte ich. Zwar kannte ich die frojen noch nicht so gut, fühlte mich aber bereits aufs Übelste von ihnen umgepflügt.

»Wir müssen trinken«, sagte Enzo.

»Schon wieder?«

»Was heißt: schon wieder? Mein letztes Getränk ist über zwölf Stunden her!« Er klang ehrlich beunruhigt.

»Also gut«, sagte ich. »Wo?«

»Volkshaus!«, rief Enzo. Allem Anschein nach sein Tempel. Oder einer von mehreren.

Er erklärte mir knapp und deutlich, wo ich hinmüsse.

Ich fuhr hin, endlos froh, Aussicht auf Gesellschaft zu haben.

Und so etwas wie ein Ziel.

Während der Schussfahrt zum Helvetiaplatz gab ich mich der Überlegung hin, ob unsere heutige zajt gegenüber früheren nicht eine viel schmerzvollere sei, angesichts der zusätzlichen meglechkajtn, von einer froj keine Nachricht zu erhalten: Früher gab es immerhin nur keinen brif. Heute gibt es überdies auch kein E-Mail, kein SMS und keinen verpassten Anruf.

ANDERTHALB STUNDEN!
HERR WOLKENBRUCH!

Ohne onschtrengung fand ich das Lokal mit dem Namen Volkshaus. Meine mame hätte dahinter bestimmt einen Versammlungsort der ss vermutet.

Ach, mame...

Enzo erwartete mich am Tresen, neben sich zwaj Gläser bir, eines fast leer, eines voll. Das schob er mir hin. Dann kippte er den Rest von seinem und rieb sich die Hände: »Also, König David – che c'è?«

»Laura meldet sich nicht«, sagte ich.

»Hast du sie angerufen?«

»Ja.«

»Wann?«

Zum hundertsten mol an diesem tog holte ich mein Handy hervor und sah auf die Uhr auf dem Display.

»Vor anderthalb Stunden«, sagte ich.

»Anderthalb Stunden! Herr Wolkenbruch!«

Enzo empfand diesen zajt-opschtand in diesem Zusammenhang offenbar als klein. Beschämt, weil ich anders fühlte, blickte ich auf meine fis.

»Laura, das nachrichtenlose Vermögen, hehe«, chuchemte Enzo und bestellte sich ein neues bir.

»Kennst du sie gut?«, fragte ich und nahm einen grojsn schlung von meinem.

»Sie wohnt seit…« – er überlegte kurz, während er freudig sein neues getrenk in Empfang nahm – »seit ungefähr einem Jahr in unserer WG.«

Wir stießen an.

Eine Frage brannte auf meiner zung.

Enzo grinste: »Jetzt willst du wissen, wie sie es so mit den Männern gehabt hat in diesem Jahr, gell?«

»Äh… ja.«

Enzo nahm einen schlung. »Lass es mich so sagen…«, fuhr er dann freundlich fort, »du bist ein Idiot.«

Ich verstand nicht und starrte Enzo an.

»Ich will dich nicht beleidigen«, sagte Enzo und hob abwehrend die hant. »Aber ein Mann, der mit Laura geschlafen hat und nachher ein solches Gesicht macht, ist in meinen Augen ein Idiot.«

Ich verstand noch immer nicht.

»Wir sind uns einig, dass Laura sehr gut aussieht?«

Ich nickte heftig.

»Und dass sie jeden haben kann, den sie will?«

Ich nickte, etwas weniger heftig.

»Also… in meinen Augen sind die Männer, die Laura auswählt, glückliche Männer.«

»Der Plural gefällt mir halt nicht«, sagte ich nach kurzem Nachdenken.

»Eben«, meinte Enzo, »weil du ein Idiot bist.«

Nun war ich langsam doch projges.

»Schau, es ist ganz einfach«, sprach Enzo in sein glos hinein, bevor er daraus trank und es wieder abstellte, »würdest du dein Glück erkennen, wäre es dir vollkommen egal, wer da vor dir war und nach dir kommen wird. Und ob du dieses Vergnügen ein zweites und drittes Mal haben wirst.«

Ich dachte darüber nach, während ich mein bir leer trank. Es war nicht dumm, was er da sagte.

»Aber warum meldet sie sich nicht?«, fing ich trotzdem wieder an.

Enzo verdrehte die ojgn: »Du hörst überhaupt nicht zu. Darf ich das zu meinen Klischees addieren? Juden können nicht zuhören?«

»Wenn du mir dafür eine Antwort gibst«, sagte ich und bestellte ein zweites bir.

»Die Antwort ist: Ich weiß es nicht. Ich kann dir aber zwei Dinge sagen. Erstens: Es ist sinnlos, sich Gedanken zu machen über die Logik der Frauen. Zweitens: Du bist jetzt Mitglied des exklusiven Laura-Liebhaber-Vereins. Ich beneide dich.«

»Aber du hast doch Wanda?«

»Ich beneide dich trotzdem. Wer mit Laura geschlafen hat, ist beneidenswert.«

Es gelang mir, mich einige Schritte weit in seine Sichtweise hineinzudenken, und ich fühlte mich tatsächlich besser.

»Mit Ena ist das ja nicht anders«, sagte Enzo. Er sah zur Decke des Raumes, wo kleine Leuchtstoffröhren die Ventilation nachzeichneten, und wirkte etwas wehmütig dabei.

»Hast du ...«, fragte ich.

»Leider nein, leider nein!«, rief er, so lojt, dass einige Leute zu uns herschauten.

»Aber du würdest?«

»Sofort. Du nicht?«

Ich überlegte, ob meine Gefühle zu Laura so weit gediehen waren, dass ich eine entsprechende Aufforderung Enas abschlägig beantworten würde. Ob ich mich Laura bereits so verpflichtet fühlte. Oder jemals so verpflichtet fühlen würde.

Enzo studierte dabei interessiert meine Mimik. Dann lachte er: »Na, siehst du.«

Draj schtundn und zahlreiche Getränke schpejter – Enzo hatte die brillante Idee gehabt, die Single-Malt-Abteilung der Volkshaus-Karte auf und ab zu eilen – verkündete er, der Moment des Abschiedes sei nun gekommen; er müsse morgen arbeiten.

Wir hatten viel über frojen geredet und ich hatte viel vom lebn als jid erzählt. Enzo hatte so manche Frage dazu gehabt. Die gojim sind immer völlig aufgeregt, wenn sie mit a jid zu tun haben. Als hätten sie einen Astronauten vor sich.

»Was arbeitest du eigentlich?«, fragte ich, um auch amol etwas zu fragen.

»Ich bin Webdesigner. Ich mache Websites. Brauchst du eine Website?«

Ich brauchte keine Website.

Aber etwas anderes, wie sich wenig schpejter herausstellen sollte.

Ich klopfte und klingelte und klopfte und klingelte

Bei meiner schaukelnd schikeren Heimkehr wunderte ich mich über die große dunkelgrüne Reisetasche vor unserer Wohnungs-tir. Sie gehörte meiner Mutter und war prall gepackt.

Verreiste meine mame?

Und wenn ja, wieso stand die tasch vor der tir?

Wie oft hatte ich meine mame davon reden hören, die Antisemiten würden die jidn berauben, wo sie nur könnten, ob Kunst oder Gold oder Winterreifen, das spiele für diese Kerle keine Rolle, sie würden alles an sich nehmen; folglich sei's geboten, alles zu verstecken und mehrfach abzusperren...

Umso absurder, dass meine mame ihre tasch nun quasi zum Diebstahl offerierte.

Neugierig, was es damit auf sich hatte, wollte ich die Wohnung betreten und nachfragen. Doch die tir war verschlossen. Und als ich meinen schlisl steckte, drehte er nicht im schlos.

Zemischt zog ich ihn heraus: War es der falsche?

Nein, es war der richtike; der mit dem blauen Kennring. Doch er passte nicht; ich probierte es draj mol.

Und dann alle anderen am Bund. Auch draj mol.

Und dann prüfte ich das Namensschild. Auch das stimmte: *Wolkenbruch.*

Endlich begriff ich, dass mein schlisl deshalb nicht passte, weil unsere Wohnungs-tir ein neues schlos hatte.

Ich klopfte und klingelte und klopfte und klingelte.

Doch gurnischt geschah.

In der hofenung, eine derklerung zu finden, öffnete ich die pralle tasch.

Ich fand eine derklerung:

Meine Kleider.

Und meine anderen bejden por Schuhe.

Und meine nostichlech.

Und mein hant-fass, meine tefilin, meinen siddur und meinen talit.

Und meine rechen-maschin mit allen Kabeln und das Ladegerät für mein Handy sowie meinen Bartschneider, ebenfalls mit Netzteil.

Und das Album mit meinen Kinderfotos.

Und meine Uni-Bücher.

Und meinen pas.

Und zuoberst mein zejn-berschtl.

Mir entfuhr ein trockenes, meschigenes gelechter.

Thorsten mag allerdings keine Juden

Fassungslos stand ich im mageren Schein der Treppenhausbeleuchtung und wusste nicht, was ich nun tun sollte. Hier würde ich offensichtlich nicht mehr schlufn.

Schleunigst verkehrte sich meine bis anhin federnde Trunkenheit in herbe Schwere.

Ich rief den Lift, schob mit dem fus die tonnenschwere tasch hinein, fuhr ins Erdgeschoss und trat auf die gass hinaus.

Dort wählte ich Enzos numer.

»Moische Dajan!«, brüllte Enzo ins Telefon. Im Hintergrund war dasselbe gerimpl zu hören, wie es uns vorhin im Volkshaus umgeben hatte.

»Enzo«, sagte ich, »ich habe hier ein Problem.«

»Lass mich raten«, rief er, »eine schöne Frau will mit dir ins Bett, und du zögerst, weil dir ihre Motive nicht klar sind.«

»Nicht ganz. Bist du noch in der Bar?«

»Jawohl«, sagte er, »ich habe vorhin auf dem Heimweg den Thorsten getroffen und wir sind wieder zurück. Das wird ein katastrophaler Abend.«

Ich hörte jemanden lachen.

»Kann ich auch kommen?«

»Natürlich. Thorsten mag allerdings keine Juden. Er ist aus München.«

Der man im Hintergrund, der anscheinend Thorsten war, protestierte; er habe nichts gegen Juden.

»Lüg nicht!«, sagte Enzo zu ihm. »Du verachtest Juden und du wirst gefälligst auch meinen Freund Motti verachten.«

Thorsten bestand abermals darauf, nichts gegen Juden zu haben.

»Ich mache mich auf den Weg«, sagte ich.

»Wir bestellen dir schon mal ein Bier und kleben einen gelben Stern aufs Glas«, dröhnte Enzo frohgemut.

»Zehn minutn«, sagte ich und hängte auf.

Meine Laune drehte sich zurik in den wint. Ich hielt ein taksi an und ließ mich ins Volkshaus fahren.

Thorsten war klein und dünn und hatte ganz kurzes hor, Enzo war mindestens so betrunken wie am uwnt zuvor.

»Thorsten programmiert meine Websites«, sagte Enzo und wies mit dem Finger in Thorstens ungefähre Richtung.

Thorsten nickte freundlich. Wir gaben uns die hant.

»Thorsten möchte außerdem seine Erbschuld abarbeiten. Er hat dir dieses Bier da spendiert.«

»Danke, Thorsten«, sagte ich und leerte das glos, das auf dem Tresen stand, zu einem Drittel.

Thorsten nickte noch amol freundlich. Er wirkte wie ein nettes, frisch geschorenes Schäfchen.

»Motti«, sprach Enzo nun zu Thorsten und tippte zwaj mol mit dem Finger auf meine Brust, »Motti ist neuerdings im Laura-Liebhaber-Verein.«

Thorsten sah mich eine sekund lang erstaunt an. Dann lachte er lojt.

»Der liebe Thorsten« – Enzo wieder zu mir – »bemüht sich eben seit längerem vergeblich um Mitgliedschaft.«

Thorsten hörte auf zu lachen und starrte in sein bir-glos.

»Motti war wirklich mit ihr im Bett!«, rief Enzo und zeigte auf mich.

»Klar«, sagte Thorsten gelangweilt, leerte sein bir und ging pischn.

»Also, Wolki, was ist geschehen?«, wollte Enzo wissen.

Ich erzählte es: dass ich Lauras wegen Krach gehabt hätte mit meinen Eltern, genau genommen mit meiner mame, dass ich nach einem eigenen lebn verlangt hätte und nun über eines verfügte.

»Jetzt werfen die Juden einander schon selbst aus ihren Häusern«, bemerkte Enzo und hob draj Finger in Richtung der blonden froj hinter dem Tresen. Sie reagierte routiniert.

»Ich glaube, ich brauche irgendwo ein Zimmer«, sagte ich zu Enzo.

»Ich habe eines«, sagte Thorsten, der vom kloset zurikgekehrt war, »ein Freund aus München hat bei mir gewohnt und ist letzte Woche zurück nach Deutschland gefahren. Ich habe noch keinen Nachmieter gefunden. Du kannst es haben. Fünfhundert Franken pro Monat. Mit Internet. Ein Futon ist auch noch da.«

»Fall nicht drauf rein, Wolki«, dröhnte Enzo. »Du weißt ja, wie das ist: Steht Dusche drauf und ist was ganz anderes drin.«

Ich bat ihn, seine Scherze für einen Moment bleibenzulassen.

»Va bene, va bene, mi dispiace«, sagte Enzo und fuchtelte entschuldigend mit den Händen herum. Ohnehin gestikulierte er andauernd in alle Richtungen. Ob er heimlich a jid war?

»Wo wohnst du?«, fragte ich Thorsten.

»Kanzleistraße«, sagte Thorsten, »gleich hier in der Nähe.« Er wies hinter sich, drehte sich um und korrigierte sich dann um einige Grade.

»Und… und ginge das schon heute?«, fragte ich und wies auf die monumentale tasch zu meinen fis.

»Klar«, sagte Thorsten.

Ich reichte ihm erleichtert und freudig meine hant und er schlug ein.

Wir tranken weiter bir, und jeder schlung verdünnte die Traurigkeit, die ich mitgebracht hatte.

Mittendrin gelang Enzo ein ernster und einfühlsamer Moment. Er legte mir die hant auf die Schulter und sagte mit einem betroffenen und aufmunternden Lächeln: »Scheiße, Herr Wolkenbruch.«

Ja, das war es.

Es war aber auch ein großes Abenteuer, das mich unaufhaltsam vorwärtsspülte und die jiddischen Mauern eine nach der anderen zum Einsturz brachte.

Dahinter dämmerte, rotgolden und singend, die frajhajt.

Enzo versuchte noch ein Wortspiel mit »schikse« und »Schicksal«, doch es klappte nicht recht; »Schiksenal, Schickensal«, lallte er, dann gab er auf.

IN FINSTERNISCH GEHILT

Ich erwachte vom SMS-Klang meines Handys und hatte keine Ahnung, wo ich war. Das toges-Licht traf aus ungewohnter Richtung in mein punem, ich lag mehr oder weniger direkt auf dem Boden und der leere Raum mit der Stuckdecke war mir gänzlich unbekannt.

Im Weiteren tat mir mein kop wej.

Dann fiel mir ein: Du bist ja jetzt Thorstens neuer Mitbewohner. Und nicht länger das Kind deiner Eltern, die nun vermutlich schiwe sitzen und auf Nachfrage erklären werden, der Motti sei ihnen *»verlorengegangen«*.

So war es damals mit Aaron geschehen, dem jüngsten Sohn der Familie Bienenstock. Auch Aaron hatte sich geweigert, sich mit einer der frojen einzulassen, die man ihm vorgesetzt hatte. Allerdings nicht, weil sie ihm nicht hipsch genug waren, sondern weil es grundsätzlich frojen waren. Denn Aaron war a fejgele.

Das gestand Aaron eines Tages seinen Eltern: dass er ihnen keine ejniklech schenken werde, da er mener bevorzuge. Es dürfen durchaus jidn sein, aber bitte solche mit schlong und bort und am liebsten in einer verschwitzten israelischen Uniform.

Herr und Frau Bienenstock kreischten und tobten, warfen Aaron aus der Wohnung und seine Kleider auf die Straße und saßen eine woch schiwe, und wenn die Leute fragten, warum Aaron nicht mehr in die schul komme, so sagten sie, Aaron sei ihnen »*verlorengegangen*«, und die Leute fragten nicht mehr.

Als ich auf den koridor trat, empfing mich ein Duftgemisch aus Kaffee und Tabak. Ich folgte ihm schnuppernd, machte bei einer tir halt, die ich richtigerweise für jene des waschzimers hielt, pischte, nahm wieder Witterung auf und fand schließlich Thorsten am Küchentisch. Er hatte einen Laptop vor sich und tippte in rasender Geschwindigkeit auf der Tastatur herum. Links von Thorsten stieg aus einer Kaffeetasse Dampf auf, rechz von ihm rojch aus einem Aschenbecher.

»Guten Morgen!«, begrüßte er mich, obwohl die Wanduhr Viertel nach zwölf zeigte. »Kaffee?«

»Lieber Wasser«, sagte ich. Mein Mund fühlte sich an, als wäre er voller Strickwaren.

»Die Gläser sind dort links«, sagte Thorsten und wies auf die mindestens firzik jorn alten Küchenschränke. Ich nahm arojs a glos, ein nicht sejer sauberes, und füllte es am Wasserhahn.

»Hast du ein Frotteetuch?«, fragte Thorsten.

»Ich glaube, ja«, sagte ich zwischen zwaj gierigen schlungn.

Thorsten tippte weiter, schneller als Frau Kahn, die Sekretärin der Wolkenbruch Versicherung. Ach ja, die Wolkenbruch Versicherung, dachte ich … denen bist du ja nun vermutlich auch verlorengegangen.

»Was schreibst du da?«, fragte ich.

»Code«, gab Thorsten zurik. Er drehte den Laptop um, so dass ich in den Bildschirm schauen konnte, der voll mit wirren Formeln war: ›p‹, ›h2‹ und ›br /‹.

»Für wen?«

Thorsten nahm einen schlung Kaffee, nahm einen Zug von seinem papiros und antwortete rojchndik; er sah aus wie ein plaudernder Drache: »Eine Privatbank.«

»Hast du kein ofis?«

»Ein was?«

»Ein Büro.«

»Doch. Da gehe ich nachher auch hin. Aber das hier muss heute Abend um zwölf online gehen. Gibt noch zu tun.«

Er nahm seine arbet wieder auf. Ich wollte ihn nicht stören und ging duschen.

Die Dusche war a bisl schmutzig. Es lagen auch einige horn darin. Überflüssigerweise begann ich mir zu überlegen, von welchem Bereich von Thorstens kerper sie stammen könnten.

Bei mir zu Hause hat es nie so ausgesehen, dachte ich. Dort polierte meine mame ständig alles.

Ich sah sie vor mir, wie sie schnaufend und mit wackelndem tuches unsere Spülbecken scheuerte.

Es gab zwaj flaschn Duschmittel und eine flasch Shampoo. Sie waren alle praktisch leer, nicht amol im Verbund gaben sie genug her für eine orntleche Körperreinigung.

Mir kam eine meiner frühesten kindschoft-Erinnerungen in den Sinn: eine halbvolle, aber märchenhaft schäumende Badewanne, davor meine mame, die mich badete und herzte und dazu jiddische Lieder sang –

Ich hub a klejnem jingele,
A sinele gor fajn.
Wen ich derse im, dacht sich mir,
Di ganze welt is majn.

Nor seltn, seltn se ich im,
Mein schejnem, wen er wacht,
Ich tref im imer schlufndik,
Ich se im nur baj nacht.

Di arbet trajbt mich fri arojs,
Un lost mich schpejt zurik.
Oj, fremd is mir majn ejgn lajb!
Oj, fremd majn kinds a blik!
Ich kum zuklemterhajt ahajm,
In finsternisch gehilt.

Zu Hause gab es immer genug Seife für das jingele, dachte ich.

Doch der Begriff »Zuhause« hatte ja mit der Wohnung an der Hopfenstraße, wo Moische Wolkenbruch mit seiner froj Judith, geborene Eisengeist, wohnte, für mich nichts mehr gemein.

Ein grojser Kummer stürzte auf mich nieder und ich musste wejnen mit trern und fühlte mich fremd und allein in der Welt.

Nachdem ich mich abgetrocknet hatte (in meiner bagasch hatte sich tatsächlich ein Frotteetuch gefunden, ein weiches, wohlriechendes, und ich wurde noch deprimierter), ging ich zurik in mein zimer und zog neue schmattes an. Jene, die vom Aufenthalt in der tasch am wenigsten verknittert waren.

Dann fiel mir ein, dass ich ja ein SMS erhalten hatte.

Ich hob mein Handy auf, das neben dem Futon lag, und las:

hi motti sorry war gestern ganzen tag unterwegs. lust auf abendessen?

Ich schaute den kleinen Text lange an. Gewiss hatte ich Lust auf ein Abendessen mit Laura. Gleichzeitig allerdings hätte ich in Lauras lebn gern eine wichtigere Rolle gespielt als die Dinge, die sie am Vortag beschäftigt hatten.

Ich formulierte eine Zusage für den uwnt.

Dann besann ich mich, löschte alles und ließ Laura erst amol warten; eingedenk Maikes Empfehlung, die sie mir auf der Party gegeben hatte.

Ich holte mir einen Kaffee aus der kich und stellte mich damit ans Fenster meines leeren zimers. Am himl stießen zwaj wolkn zusammen, eine weiße und eine hellgraue; wie auf einer von Frau Silberzweigs kortn. Unten ojf der gass schimpfte eine schwarze froj einem schwarzen man hinterher. Er lachte.

Nach einer Weile rief ich, auf dem ausgesprochen behaglichen Futon liegend, den Thorstens Mitbewohner zurikgelassen hatte, Onkel Jonathan an und erzählte ihm alles. Er wusste es bereits und versicherte mir, dass er trotz der aufgebrachten Nötigungsversuche seitens meiner mame, den Kontakt zu mir abzubrechen, dies nicht tun werde. Was wiederum dazu geführt habe, dass meine mame nichts mehr mit ihm zu tun haben wolle.

»Tut mir leid«, sagte ich.

»Das muss es *ihr*, nicht *dir*«, sagte Onkel Jonathan, »brauchst du etwas?«

Ich wusste nicht, was ich sagen sollte.

Ich hatte ein Dach über dem kop und etwas gelt gespart. Nicht viel, aber immerhin.

Bei allem anderen würde ich mir wohl selbst helfen müssen.

»Nein, danke«, sagte ich.

Ob es denn mit der gojete klappe, wollte Jonathan wissen.

Das wisse ich noch nicht, sagte ich.

»Es ist ja auch nicht so wichtig«, sagte er.

»Wieso nicht?«, fragte ich leicht ärgerlich.

»Weil es wichtiger ist, dass du dein Leben lebst. Wer dich dabei begleitet… das ist nicht so wichtig.«

Wieder so ein seltsamer Standpunkt, der vernünftig klang, mir aber keinen sichtbaren Zugang zur Umsetzung bot. Es war mir sogar *sejer* wichtig, dass Laura mich fortan begleiten würde.

Dass es mir im Gegenteil gleichgültig sein sollte, erschien mir wie ein Verrat des Herzens.

Es entstand eine Pause im Gespräch. Ich hörte draußen Thorsten auf der Tastatur.

»Motti?«

»Ich bin hier.«

Onkel Jonathan bat mich, ihn anzurufen, wann immer ich wolle.

Ich versprach es.

Dann machte ich mich zu fus auf den Weg zur Wolkenbruch Versicherung, mit einem Zwischenhalt bei einem libanesischen Imbisslokal, in dem die Speisen in lustiger Façon angeschrieben waren: *Orientalischer teler Mit Schauerma, Sandwisch Falafel.*

Bist a schejner jid, dachte ich, während ich mein »Sandwisch« aß; schläfst mit schiksen und isst beim Araber.

Draußen wurden die wolkn größer und dunkler.

Hast du genug zu essen?

Im ofis hatte der Austausch der Schlösser noch nicht statt-
gefunden oder war gar nicht erst angeordnet worden. Mein
schlisl passte jedenfalls.

Frau Kahn fiel fast von ihrem Drehstuhl, als sie mich
arajnkommen sah.

»Herr Wolkenbruch, Herr Wolkenbruch!«, rief sie in
Richtung meines Vaters. »Ihr Sohn, Ihr Sohn!«

Mein Vater erschien in der tir. Er sah sejer trojerik aus.

Ich ging zu ihm hin.

Frau Kahns ojgn folgten mir voller Schauder, aber auch
neugierig. Auch Herr Hagelschlag erschien in seiner buro-
tir; in der hant einen angebissenen Berliner. Er nickte mir
zu, als hätten wir bejde in der Migros etwas Unkoscheres in
den Einkaufskorb gelegt und einander dann zufällig erblickt. Dann verschwand er wieder.

Mein Vater ließ mich in sein buro und schloss die tir hinter
mir.

Wir standen voreinander.

Draußen rimpelte das Tram vorbei.

Keiner sprach.

»Herr Wolkenbruch, ist alles in ordenung?«, klesmerte Frau Kahn draußen vor der tir.

»Ja, danke, Frau Kahn«, rief mein Vater umgeduldik.

Dann schob er sich mit müden Schritten zum Sitzungstisch, setzte sich und wies auf den schtul gegenüber. Ich setzte mich ebenfalls.

Ein grojser Bruch lag über allem; einer, der niemals heilen würde.

»Wie geht es dir?«, fragte mein tate.

»Ich wajs nischt«, sagte ich.

»Hast du genug zu essen?«

»Ja.«

Dann sagten wir nichts mehr.

Draußen, in entgegengesetzter Richtung, wieder ein Tram.

»Wus welstu tin?«, fragte mein Vater dann.

Ich überlegte.

»Heute treffe ich Laura. Morgen… mol sehen«, sagte ich.

»Ist das jetzt dein lebn? Mol sehen?«

Ich hätte mit »Mol sehen« antworten wollen, ließ das aber und sagte: »Es wird schon gut sein.«

Bejde schwiegen wir lange.

Was gab es auch schon zu sagen? Ich war nicht mehr partei meiner mischpuche, daran gab es nichts zu rütteln. Nie mehr würde ich zusammen mit meinen Eltern, meinen

Brüdern und ihren mischpuchn pajsech und chanike feiern, und meine nostichlech und hemdn würde ich künftig selbst presn müssen.

Frau Kahn klopfte interessiert von draußen an die tir.

»Schpejter!«, rief mein tate ärgerlich.

Und jene Seiten, die ich im Buch meines Lebens noch umblättern durfte, kannte ich noch nicht. Sie würden schlecht zu den bisherigen passen, das war klar. Aber darüber hinaus …

»Jo«, sagte ich.

»Jo«, sagte mein Vater.

Dann erhoben wir uns.

Er umarmte mich und patschte mir etwas unbeholfen auf den rukn.

Die trern schossen mir in die ojgn, doch ich hielt sie zurik, so wie ich dem Schluchzen, das in meinem halds bereitlag, den Weg versperrte.

Würden wir je wieder so stehen?

Falls ja … es würde lange dauern.

Wir lösten uns voneinander.

Auch mein tate hatte nasse ojgn.

Ich öffnete die tir. Frau Kahn sprang wieder von ihrem schtul auf und heftete ihren blik auf mich.

Aus Herrn Hagelschlags nasch-bajtl, den er mir hinhielt wie ein kleiner Junge, nahm ich mir einen letzten Berliner. Er bot mir einen zweiten an. Kein gutes Zeichen.

Ich blickte zurik; mein tate stand, wie vorhin, in seiner tir.
Er hob seine hant, ich hob die meine.

Es waren vier, finf Meter und doch ein ganzer Welten-
raum.

Vor der ofis-tir brachen endlich die trern aus mir arojs.

Sie spielt das Matzenknödelspiel
mit dir

Absichtslos ging ich die Birmensdorferstraße entlang, bis ich beim Stauffacher ankam, wo ich erst recht nicht wusste, was ich tun sollte. Bei der Tramhaltestelle blieb ich stehen.

In der Ferne rollte der Donner.

Hunderte von mentschn um mich herum eilten irgendeinem Punkt zu, der nach ihnen verlangte, ob tatsächlich oder nur in ihrer Vorstellung. Und mittendrin ich, Mordechai Wolkenbruch, finfunzwanzik jorn alt, verlorengegangen.

Ein dicker Regentropfen fiel auf meine nos.

War das jetzt mein lebn?

Ich beschloss, mir schpejter gedankn darüber zu machen, und holte mein Handy aus der keschene. Ich hatte mich genügend rargemacht, schätzte ich, und schrieb Laura endlich eine Antwort:

Abendessen gern, sieben, Volkshaus? Gruß, Jew.

Keine minut darauf schrieb Laura:

super kann aber erst um acht freu mich

Weitere Tropfen stürzten um mich herum auf den Asphalt, immer mehr, bevor ein Platzregen einsetzte und die mentschn unter die Überdachung der Tramhaltestelle trieb.

Mich störte es nicht. Ich hatte ein Rendezvous mit Laura.

Ich fand es faszinierend: Eben noch war ich verzweifelt gewejn, nun war ich wieder bester Dinge.

Beflügelt nahm ich den Weg zum nahen Helvetiaplatz unter di fis, obwohl ich viel zu fri dran war. Um die Wartezeit zu überbrücken, kaufte ich in einer Buchhandlung neben dem Volkshaus etwas zu lesen.

»Ich hätte gern etwas Jüdisches«, sagte ich zum Buchhändler. »Jüdische Literatur soll angeblich lustig sein.«

»Das ist sie«, sagte der Buchhändler, »traurig und lustig. Kennen Sie Edgar Hilsenrath?«

Kannte ich nicht.

»Moskauer Orgasmus!«, rief der Buchhändler und zog ein Buch aus dem riesigen Regal. »Ein herrliches Buch.«

Ich blätterte, bezahlte, ging nach nebenan, reservierte einen Tisch auf halb najn Uhr, setzte mich an die Bar, bestellte einen Kaffee und las.

Die Geschichte handelte vom Moskauer Juden Mandelbaum, der die Tochter eines New Yorker Mafiabosses geschwängert und ihr dabei ihren ersten Orgasmus verschafft hatte.

Ich legte das Buch hin, bestellte einen zweiten Kaffee und dachte nach.

Hatte Laura mit mir einen Orgasmus gehabt?

Schwer zu sagen. Konnte sein. Konnte genauso gut auch nicht sein.

Und Michal?

Auch schwer zu sagen.

Bei Laura war es wahrscheinlicher.

Laura war lojter gewejn.

Wesentlich.

Aber was heißt das schon?

Ein Tram ist auch lojt.

Wieder so etwas, bei dem der man rätselt und nur die froj weiß, was läuft, überlegte ich.

Ich las weiter.

Der Mafiaboss wollte Mandelbaum mit der Hilfe eines Schmugglers aus Moskau herausholen, seiner Tochter zuliebe – und weil er Sizilianer war und keinen unehelichen ejnikl haben wollte. Der kurzsichtige Mandelbaum mit dem rötlichen Bart jedoch trachtete danach, in Moskau zu bleiben und unter der dortigen Damenwelt weitere Orgasmen zu verteilen.

Um sibn Uhr verlegte ich die Getränkebestellungen in den alkoholischen Bereich und übte mich für Lauras baldige Ankunft darin, möglichst entspannt und gemessen zu wirken: Ich glitt vom Barhocker herab, stellte mich an den Tresen, stützte einen Ellbogen darauf und stellte einen fus auf die Zehen, mit gleichförmigem blik in den Gastraum. Wie der Schönling am frimorgn nach der Party.

Sei locker, sagte ich mir, behalt deine mazes-knajdlech bei dir. Das finden die frojen spannend, wenn man mit den Dingern geizt, anstatt damit nach ihnen zu werfen.

Doch ich war unstet und wechselte dauernd die Ellbogen und die fis ab; linker Ellbogen, rechter fus auf die Zehen, rechter Ellbogen, linker fus auf die Zehen.

Ich wirkte vermutlich eher wie a jid auf der Flucht vor der Gestapo als wie einer, der sich am Strand von Tel Aviv auf dem Liegestuhl fläzt.

Also setzte ich mich wieder auf den Hocker und nahm das Buch in die hant.

Sie ist klug, dachte ich, ein lesender man gefelt ihr. Also halte dein Buch so, dass sie sieht, du hast dauernd welche in der hant. Ein gewandter Leser; firm und beschlagen mit dem Geschriebenen.

Doch ich hielt das Buch immer wieder anders; meine Finger wanderten darauf herum, als wollten sie es walken, ein wahres Fächeln veranstaltete ich, aber nicht nach oben hin in mein punem, sondern von mir weg, als hätte ich a helischn forz gelassen und wollte mich von meinen eigenen Missgerüchen befreien. Vermutlich sah auch dies eher kurios aus.

Je näher der minutn-zajger auf meiner Uhr der Acht kam, umso nervöser wurde ich. Und richtig nervös wurde ich, als es acht Uhr wurde und acht Uhr finf und acht Uhr zehn und acht Uhr vierzehn und Laura noch immer nicht da war.

Sie spielt das Matzenknödelspiel mit dir, dachte ich.

Dann schritt Laura durch die tir, klappte einen nassen Schirm zu und wurde sofort mit Männerblicken besprenkelt.

Und wie viele Objekte hat Herr Professor Wolkenbruch schon studiert?

Laura trug hohe schwarze Turnschuhe mit einem großen roten schtern drauf, helle Jeans, ein enges, rotes T-Shirt mit einem weißen japanischen Schriftzeichen und darüber eine dünne, dunkelblaue wint-jak, über die ihr am Hinterkopf zusammengebundenes hor floss. Wie eine edle Schlange glitt es mit den Bewegungen ihres Kopfes, der den Raum nach mir absuchte, nach links und rechz.

Schließlich erblickte sie mich, strahlte mich an und trat zu mir an die Bar.

»Hallo!«, sagte sie.

»Hallo«, sagte ich.

Wieder war für einen winzigen Moment nicht klar, wie wir zueinander standen und wie wir uns begrüßen sollten. Laura entschied sich für einen nicht allzu intimen, aber auch alles andere als schwesterlichen kisch auf meinen Mund. Und eine entsprechende Umarmung.

Würden wir je ein por werden?

Das hätte mir gefallen.

Oder ein halbes; kein offizielles, aber ein körperliches?

Auch das hätte mir gefallen.

Oder war Laura gekommen, um mich in aller Freundschaft fallenzulassen?

Nur sie wusste es.

Laura zog ihre jak aus.

Das Oberteil darunter war ärmellos. Ihre naketen Schultern leuchteten.

Mach nur!, brüllte eine urwüchsige, kriegerische und behaarte schtim in mir. Zieh alles aus! Ich mach dir den Mandelbaum!

Doch es blieb bei der wint-jak.

»Was möchtest du trinken?«, fragte ich mit meiner normalen schtim.

Laura überlegte nicht lange: »Martini.«

Ich bestellte zwaj Martini. Sie kamen. Wir stießen an.

»Lochajm«, sagte Laura.

»Lechajm«, korrigierte ich sie.

»Lechajm?«

»Lechajm. Auf das Leben.«

»Ich habe es immer falsch gesagt!«

»Ja.«

»Warum hast du nichts gesagt?«

Ich zögerte. »Weil … ja, ich fand es herzig.«

»Ich will aber nicht herzig sein.«

»Sondern?«

»Ja … nicht herzig halt!«, sagte Laura gereizt.

»Ich brauche eine Alternative«, sagte ich.

Laura überlegte. »Erotisch.«

»Mach dir darüber keine Sorgen«, sagte ich.

»Was findest du erotisch an mir?«, wollte sie wissen.

»Deinen tuches.«

»Das weiß ich. Weiter.« Sie nahm einen schlung.

»Ich finde es erotisch, wie du trinkst.«

»Wie ich trinke?«

»Wie du deine Unterlippe leicht vorschiebst und mich über den Glasrand anschaust.«

»Das wusste ich nicht.« Sie setzte das glos an und versuchte, auf ihre unterschte lip zu gucken, was ihr nicht gelang. Sie setzte es wieder ab. »Was noch?«

»Wie du gehst. Dein Körper bewegt sich dann so, dass man ihn sich dauernd nackt vorstellt. Das finde ich erotisch.«

»Danke. Was noch?«

»Das reicht für den Moment.«

Rarmachen, Wolki, rarmachen, sagte ich mir.

»Noch etwas! Bitte.«

Etwas Heischendes brannte in ihrem blik. Es gefiel mir. Es gefiel auch dem Ur-Motti, der in mir erfreut seine knorrige Keule reckte.

»Was könnte ich denn noch erotisch finden an dir?«, fragte ich lauernd. Nicht, dass mir nichts eingefallen wäre.

»Vielleicht meine Brüste?«, fragte Laura. Mir war, als schöbe sie sie leicht vor, und ich zwang mich, ihr weiter in die ojgn zu schauen. Es fiel mir schwer. Ich wusste, was sich unter dem gespannten Stoff verbarg.

»Nein«, sagte ich trotzdem.

»Nein?«

»Nein, das sind ganz normale Brüste.«

»Wie bitte?« Sie schien ernsthaft empört.

»Ja. Durchschnitt.«

»Darf ich fragen, wie du das beurteilen kannst?«, fragte Laura.

»Ich führe eine Studie.«

»Aha. Und wie viele Objekte hat Herr Professor Wolkenbruch schon studiert?«

Oj, dachte ich. Jetzt hast du dich in eine Ecke manövriert. Ich zögerte.

Laura grinste.

»Also gut«, sagte ich. »Zwaj.«

»Brüste oder Frauen?«

»Frauen.«

»War die andere die, der du auf den tuches geschaut hast?«

»Ja.«

»Also hast du noch nie eine Freundin gehabt.«

»Nein. Und du? Hast du schon viele Freunde gehabt?«

Meine schtim klang eventuell a bisl zu interessiert, hatte ich den Eindruck.

»Zwei … je nach Sichtweise drei.«

»Schon lange her?«

»Der letzte … fünf Monate. Im Moment möchte ich keinen.«

Mir wurde leicht übel.

»Warum nicht?«, fragte ich.

Du klingst jämmerlich, Wolkenbruch, dachte ich.

Reiß dich zusammen.

Laura überlegte und sah mich etwas kühl an. »Ich möchte einfach gerade keine Beziehung«, sagte sie, »es gibt eigentlich keinen Grund.«

Ich sagte nichts, sondern nippte an meinem glos.

»Das heißt aber nicht, dass ich mein Leben nicht genießen will«, fügte Laura an, als sie sah, wie ich ihre Worte entgegengenommen hatte.

Die schtimung geriet etwas ins Stottern.

»Bei der letzten Frau war deine Mutter doch recht sauer, oder?«, versuchte Laura, dem Gespräch wieder Schwung zu verleihen.

»Ja. Dein Martini ist leer«, sagte ich.

»Deiner auch.«

Ich bestellte zwaj neue.

»Und jetzt, wo du sogar einer Nichtjüdin auf den Arsch geschaut hast?«, fragte Laura, nachdem wir die Getränke in Empfang genommen hatten.

»Das hat zur Folge, dass ich neuerdings nicht mehr zu Hause wohne.«

»Was?«

»Ja. Ich bin offiziell tot.«

»Krass. Meinetwegen?«

»Deinetwegen, ja.«

»Warum hast du es deiner Mutter denn erzählt? Macht man das bei euch so? Man schläft mit einer Frau und erzählt es dann seiner Mutter?«

Ich dachte kurz nach. Ja, eigentlich macht man das so.

»Sie ahnte es sowieso«, sagte ich. »Ich hätte lügen müssen. Und es war mir grad recht.«

»Warum?«

Ja, warum? Wollte ich so sejer von der eigenen Mutter aus der Wohnung geworfen werden?

»Weil es sonst weitergegangen wäre wie bisher«, sagte ich schließlich nach längerem Nachdenken.

»Und wo wohnst du jetzt?«

»Bei Thorsten.«

»Ich kenne ihn.«

»Ich weiß. Er findet dich auch erotisch.«

»Ich ihn aber nicht. Ich finde ihn unangenehm.«

Thorsten, das Schäfchen? Unangenehm?

Für eine froj ist wohl jeder unangenehm, der nicht einsehen will, dass er nicht erhört wird, überlegte ich.

Ob Laura mich auch irgendwann unangenehm finden würde?

Wir nahmen einen schlung.

»Was findest denn du erotisch?«, fragte ich.

Laura überlegte kurz. »Beschnittene Schwänze«, sagte sie dann.

Es war finf nach halb najn. Wir begaben uns zum Tisch, der auf meinen Namen reserviert war.

»Heißen Sie wirklich Wolkenbruch?«, fragte die Dame, die mit zwaj Menükarten vorausging.

»Ja, warum?«

»Ich dachte, es sei ein Witz.«

»Nein.«

»Entschuldigung.«

»Schon gut.«

Es wurde ein schöner uwnt, auch wenn nun klar war, dass Laura nicht an einer Beziehung interessiert war. Aber dafür an meinem potz.

Das Essen schmeckte exzellent; darüber, dass es komplett unkoscher war, machte ich mir nur noch einen ganz kurzen gedank, die Bedienung war aufmerksam, der Wein nicht zu warm und Laura im gedämpften Licht schöner denn je. Zudem hatte ich eine praktische Methode entwickelt, ihr unbemerkt auf die bristn zu gucken: Ich sah ihr aufmerksam in die ojgn, wenn sie mit mir redete, und sobald sie auf ihren teler sah, um mit meser und gopl zu hantieren, senkte auch ich meinen blik auf ihre bristn und hob ihn wieder rechtzeitig, bevor Laura wieder zu mir aufschaute.

Ich erlangte, wie ich fand, rasch große Fertigkeit in dieser Kunst.

Der Ur-Motti klatschte dazu in seine groben Hände.

Nachdem wir aufgegessen und ausgetrunken und bezahlt hatten, sagte Laura: »Und jetzt?«

Ich fragte zurik: »Gehen wir?«

Sie sah mich einen Moment lang unbestimmt an, dann erhob sie sich. Wir verließen das Restaurant. Mit welchem Ziel, war nicht klar.

Ich ließ es drauf ankommen, hielt Laura die tir auf, trat nach ihr auf die Straße hinaus und schlug ohne ein Wort den Weg zur Kanzleistraße ein.

Erst als Laura fragte: »Ist Thorsten auch da?«, wusste ich, was geschehen würde.

»Nein, der arbeitet bis spät«, sagte ich.

Laura hängte sich bei mir ein.

Das ist der Geschmack von G't

Mein zimer war dunkel. Nur von der Straße her fiel Licht durch das Fenster und malte einen gelben Rhomboiden an die Wand und die Decke.

Laura zog ihre Schuhe aus und dann ihre jak. Und diesmal hörte sie nicht auf. Ohne Eile entledigte sie sich auch ihres Oberteils und ihrer Jeans, während ihr blik ebenso ironisch wie provozierend auf mir ruhte.

Schließlich stand sie in Unterwäsche vor mir. In schwarzer und sejer knapper.

Während wir uns inniglich küssten, ließ Laura ihre hant in meine hojsn gleiten. Ich tat dasselbe bei ihr. Sie schien zu glühen.

Und hätte ich mich Lauras Griff nicht rasch wieder entzogen, wäre bald alles vorbei gewejn. Wir standen reglos voreinander. Wie damals, bei ihr zu Hause.

Dann half sie mir aus den Kleidern.

»Durchschnitt?«, flüsterte Laura atemlos und mit geschlossenen ojgn, während ich mich an ihren nopln gütlich tat.

Ich richtete mich auf und sagte leise in ihr ojer: »Spitzenklasse.«

Laura lächelte, strich sich das hor aus dem punem und

kniete sich auf den Futon nieder, wo sie ihren kop auf das Polster legte und ihren tuches in die Höhe reckte. Noch nie war mir ein erregenderer Anblick vergönnt gewejn, und ich konnte mir auch keinen vorstellen.

Ahnend, dass solche Momente selten sind, zumal mit solchen frojen, hielt ich kurz Andacht.

Dann schloss ich mit diesem tuches eine Bekanntschaft, wie sie intimer nicht sein konnte, setzte mich hinter Laura auf den Boden, berührte diese köstliche, muskulöse Stelle erst behutsam mit dem tajtfinger, was Laura mit einem lustvollen Laut verdankte, dann mit einem speichelnassen Mittelfinger und schließlich mit meiner zung, was mich rasend machte und Laura ebenso, ihrer heftigen Erwiderung nach zu urteilen.

Ich machte weiter und sank dann hinab und delektierte mich an Lauras weicher, heißer wagine, die sie mir stöhnend entgegenstreckte, wieder und wieder, während mein punem nass und nasser wurde.

So schmeckt G't, dachte ich mir.

Das ist der Geschmack von G't.

Ich hob meinen kop, schöpfte otem, kniete mich hinter Laura, zog sie an ihren Schultern zu mir hoch und drang mächtig in sie ein.

So verharrten wir einen langen Moment, meine hant an Lauras brist, die andere an ihrem tuches, ihre Finger in meinem Mund, und es kehrte eine eigentümliche schtilkajt ein.

Doch bald nahm wieder die hizn überhand. Laura begann, sich langsam und geschmeidig vor und zurik zu bewegen, dann schneller und noch schneller und wieder langsam. Schließlich löste sie sich von mir und legte sich auf den rukn, mir abermals einen heftig aufreizenden Anblick gönnend. Wir vereinigten uns von neuem, Laura wand sich, steckte mir ihre zung tief in den Mund, saugte an meiner lip, stammelte verzückte Worte, eine Haarsträhne im Mundwinkel und Schweißperlen auf dem Brustbein.

Es dauerte nicht mehr lange. Ich konnte mich nicht zurikhalten, so erhoben war ich von dieser gewaltigen Nähe. Auch Lauras Stöhnen wurde lojter und länger, und während es heiß aus mir herausschoss, schlang Laura heftig ihre bejner um mich, wurde jetzt richtig lojt und schaute mich mit einem beinahe derschroknen Ausdruck an.

Hatte ich ihr den Mandelbaum gemacht?

EIN ZORNENTBRANNTER DAJTSCH UND EIN UNTRAINIERTER JID IN EINEM RAUM

Laura übernachtete nicht bei mir.

Wir blieben noch eine Weile verschlungen liegen, dann stand sie auf, suchte fast geräuschlos ihre schmattes zusammen und zog sich ebenso leise an. Ich war fasziniert von der leisen Feinheit der froj. Kleidete ich mich jeweils an, so rasselten Gürtel und polterten Schuhe und scheuerten hojsn die bejner hinauf.

Laura beugte sich zu mir herunter und gab mir einen kisch.

»Bis bald«, sagte sie und sah mich sonderbar an.

»Bis bald«, sagte ich, etwas unsicher.

Laura schlüpfte aus dem zimer und ich hörte, wie die Wohnungs-tir geöffnet und wieder geschlossen wurde.

Kurz darauf, ich war schon fast weggedämmert, erklang das gleiche Geräusch noch amol.

Kam Laura zurik?

Es war Thorsten. Er war Laura im Treppenhaus begegnet, wie sich herausstellte: »Was macht *die* hier?«, fragte er, nachdem er in mein zimer getreten war.

Ich zog meine Unterhose an, stand auf und wusste nicht, was ich antworten sollte; die Situation war derart flagrant.

»Du weißt doch … ich bin im Laura-Liebhaber-Verein«, versuchte ich es mit Humor.

Das war keine gute Idee.

»Findest du dich eigentlich lustig oder was!«, rief Thorsten. Er roch nach Alkohol.

Ich sagte nichts mehr, sondern stand weiterhin in Unterhosen da.

»Du weißt genau, dass ich was von der will!«

»Ja, aber das hat doch nichts mit mir zu –«

»Und ob das was mit dir zu tun hat! So was macht man nicht unter Männern!«

Er trat einen Schritt auf mich zu.

So klein war er gar nicht, merkte ich.

So dünn auch nicht.

Ein zornentbrannter dajtsch und ein untrainierter jid in einem Raum. Prima Versuchsanordnung.

»Hast du was mit ihr!«, herrschte Thorsten mich an.

Was soll's, dachte ich: »Ja, Thorsten. Ich habe was mit ihr.«

»In meiner Wohnung! Du Arschloch!«

Er trat noch näher. Ich sah noch, wie seine rechte fojst sich ballte.

Vermutlich spielte es keine Rolle mehr, was ich sagte. Es reichte, dass ich etwas sagte.

»Was geht es dich an?«, wollte ich sagen.

Ich kam bis »Was ge–«.

IMMERHIN WAREN MEINE ZEJNER NOCH ALLE IM MUND

Als ich wieder zu mir kam, stand Thorsten über mir.

Meine zejner taten wej und mein Mund schmeckte nach Blut.

»Wenn ich wieder da bin, bist du fort, sonst mach ich dich fertig!«, geiferte Thorsten zu mir herab. »Und damit wir uns richtig verstehen: Ich habe nichts gegen Juden. Nur gegen solche, die die Frau ficken, in die ich verliebt bin.«

Ich sagte nichts, sondern rappelte mich auf die Unterarme.

»Hast du mich verstanden!«

»Ja«, sagte ich.

A bisl Blut rann mein kin herab.

Thorsten schaute mich hasserfüllt an. Dann drehte er sich um, stapfte zur tir, riss sie auf und knallte sie hinter sich zu.

Ich ging zitternd ins wasch-zimer. Meine lipn waren aufgeplatzt; die obere und die untere. Immerhin waren meine zejner noch alle im Mund. Aber ich sah erbärmlich aus. Mein kin, meine Brust, mein bouch, meine Unterhose und meine bejner waren voller kleiner roter Striemen und Kleckse.

Ich wusch mich, rollte einige Blatt Toilettenpapier ab,

drückte sie so lange auf meine lipn, bis ich nicht mehr blutete, suchte meine sachn zusammen und zog mich an.

Lauras Ansicht über Thorsten war vielleicht nicht so falsch.

NACH IRGENDWO

Es war weit nach Mitternacht.

Ich bestellte ein taksi und trat auf die Straße hinunter. Thorsten war nirgends zu sehen.

Schon nach zwaj minutn hielt ein Mercedes vor mir. Ich stieg ein.

»Sie ... okay? Sie bon?«, fragte der dunkelhäutige Fahrer mit französischem Akzent, nachdem er mich besorgt im ruk-schpigl gemustert hatte.

»Ich bin okay«, sagte ich. Es tat wej zu reden.

»Sie ... docteur?«

»Nein, danke, es geht schon. Ein Hotel, bitte.«

»Was für hôtel?«

»Irgendeines. Nicht hier.«

»Hotel Marriott? Meine Frau ... travaille! In Kuche!« Er strahlte.

»Von mir aus, Hotel Marriott.«

Das taksi fuhr los. Ich saß hinten rechz, wie damals bei meinem sajde immer.

Die Lichter der schtot zogen am Fenster vorbei. Gelbe der Laternen, weiße der Scheinwerfer, rote der Ampeln, blaue der polizaj.

Bald erreichten wir das Hotel. Ich stieg aus und bezahlte.

An der Rezeption wollte eine blonde, junge froj dasselbe wissen: ob ich in Ordnung sei, ob ich einen Doktor brauche. Sie schien weniger um meine Sicherheit besorgt als um jene des Hotels.

Erst als ich versicherte, es ginge mir gut, ich hätte bloß eine Meinungsverschiedenheit mit meinem Mitbewohner gehabt und bräuchte ein zimer für ein, zwaj Nächte, und meine Kreditkarte hinlegte und diese anstandslos funktionierte, hellte sich das punem der Rezeptionistin auf.

»Willkommen im Hotel Marriott, Herr Wolkenbruch«, lächelte sie, als sie mir die Schlüsselkarte überreichte.

»Danke«, sagte ich.

»Und wenn Sie etwas brauchen, einfach die Null wählen.«

»Danke.«

Ich begab mich in den elften schtok. Das zimer war klein, aber elegant. Ich hatte Ausblick auf die Limmat. Sie floss schtil nach irgendwo.

GLOSSAR

Jene Wörter, deren Bedeutung naheliegt, wie fus, schtunde oder zajt, sind hier nicht aufgeführt.

aeroplan	Flugzeug
ahajm	heim, nach Hause
amol	einmal
anlojf	Anlauf
armej	Armee
armeln	Ärmel (Plural)
arojs	heraus (sech nehmen arojs di ojgn: starren)
awek	weg
bagasch	Gepäck
bagegenisch	Begegnung
bak, bakn	Wange, Wangen
balajdikt	beleidigt
bar-mizwe	Religionsmündigkeit (wörtlich: Sohn der Pflicht), für Mädchen: bat-mizwe
bargn	Berge
basojfn	besoffen
bejn, bejner	Bein, Beine
bejs	böse
bertl	Bärtchen

besejder	in Ordnung
betamt	schmackhaft, häufig auch im Sinne von reizend, apart
bichl, bichlech	Buch, Bücher
blizbrif	E-Mail
bojm	Baum
bok	Bock
bombelech	Ohrgehänge
bort	Bart
brik	Brücke
brist, bristn	Brust, Brüste
brojn	braun
brojt	Brot
bubbe	Großmutter
chajes	Tiere
challes	zum schabbes-Essen gehörende geflochtene Brote
chamuda	eine adrette Frau, männliches Pendant: chamud
chanike	Chanukka, Lichterfest
chapn	packen, schnappen
chaser	Schwein
chaseraj	Schweinerei
chassene	Hochzeit
chassidisch	eine Bewegung im Judentum (wörtlich: fromm), entstanden in der Mitte des 18. Jahrhunderts
chawer, chawejrim	Freund, Freunde
cholere	Cholera

chonte	Nutte
chorchln	röcheln
chrojsses	ein Mus aus Mandeln, Äpfeln und Zimt, wird an Pessach gereicht und erinnert an den Lehm, aus dem die versklavten Juden in Ägypten Ziegel herstellen mussten
chuchemen	kichern
chuppe	Heiratsbaldachin
chuzpedik	frech (mit Chuzpe)
dajtsch	Deutscher
dajtschisch	deutsch
dawenen	beten
derklerung	Erklärung
derschrokn	erschrocken
derse (ich derse)	ich erblicke
eingemachts	Marmelade
ejbigkajt	Ewigkeit
ejnikl, ejniklech	Enkel
ejze	Ratschlag
elter	Alter
eppes	etwas
fajer, fajern	Feuer, feuern
fejgele	Homosexueller (wörtlich: Vögelchen)
fakt	Tatsache
farakschnt	stur
fardarbn	verderben
fardrejen	verdrehen
farfir-lichtl	Verführerin (wörtlich: Verführ-Licht-lein)

fargenign	Vergnügen
farkakt	beschissen, als Ausruf: Scheiße
farker	Verkehr
farnuftigkajt	Vernunft
farschikert	betrunken
farwolknt	bewölkt
fefer	Pfeffer
filkinderik	kinderreich (wörtlich: vielkinderig)
fojgl	Vogel
frajtik-uwnt	Freitagabend, Beginn des schabbes
frejd	Freude
frimorgn	Morgen
frischtik	Frühstück
froj, frojen	Frau, Frauen
fruchperdig	fruchtbar
frum	fromm
G't	(Der Name des Herrn wird nie ausgeschrieben, da man Seinen Namen nicht in eine Form pressen will und Schriftstücke zerstört werden könnten)
gal	Galle
gefeln, gefelt	gefallen, gefällt
gehert	gehört
gehilt	gehüllt
gerangl	Streit
gerimpl	Lärm
gescheenisch, gescheenischn	Geschehnis, Geschehnisse
gescheft	Geschäft, auch Angelegenheit

geschwilechz	Geschwulst
gewiks, gewiksn	Pflanze, Pflanzen
glekl	Glöcklein
glojbn	glauben, der Glaube
goj, gojete, gojim	Nichtjude, Nichtjüdin, Nichtjuden
goluech	rasierter Jude
gopl	Gabel
grejniz	Grenze
grepsn	rülpsen
gurnischt	gar nicht, gar nichts
gwald geschrign	Gewalt geschrien, entspricht »Um Himmels willen«
haggada	bebilderte Erzählung und Handlungs-anweisung für den seder-Abend des pajsech-Festes
hajm	Heim, Zuhause
hajske	Häuschen
halwa	Süßspeise aus Sesam und Honig
hant-bajtl	Handtasche
hant-fass	Krug für das Händewaschen (netilat jadaim)
harz	Herz
Hazoloh	jüdischer Rettungsdienst in Zürich, Hebräisch für Rettung
hefker-hunt	streunender Hund
heflechkajt	Höflichkeit
helisch	höllisch
hizn	Hitze
hojsn	Hosen

hor, horn	Haar, Haare
hor-schpizn	Haarspitzen
ima	Hebräisch für Mama
jarmelke	traditionelle Kopfbedeckung, auch Kippa genannt
jeschiwe-bucher	Thoraschüler (eine jeschiwe ist eine Thoraschule, ein bucher ist ein Bursche)
jiddischkajt	Judentum, Jüdischsein
jing	Junge
jingele	Junge (Verkleinerungsform)
jom-kiper	Jom Kippur, Versöhnungstag
kakn	scheißen
karsch	Kirsche
keschene	Tasche
kibed-ejm	Achtung vor der Mutter
kich	Küche
kiddusch	Segensspruch zur Einleitung des schabbes, davon abgeleitet auch ein Imbiss nach dem Gottesdienst
kindschoft	Kindheit
kisch, kischn	Kuss, Küsse
kischn	küssen
klarnet	Klarinette
klesmer	jüdische Volksmusik
kloset	Toilette
knajdl, knajdlech	Knödel
kojch	Kraft
kolner	Kragen

kompaktl, kompaktlech	CD
konwert	Kuvert
kopwejtik	Kopfschmerzen
kortn-warfer	Kartenleger
krechz	Krächzen, Aufstöhnen
kremer	Händler
krom	Laden
kuk	Blick
lajt	Leute
lefl	Löffel
lewojne	Mond
lichtl, lichtlech	Kerze, Kerzen
linke libe	unrechte Liebe
lojt-schprecher	Lautsprecher
lojt, lojter	laut, lauter
majse	Geschichte
malech-chabole	Ausgeburt der Hölle
mamenju	Mütterchen
man, mener	Mann, Männer
masl	Glück
mazes-knajdlech	Matzenknödel
mechaje	Vergnügen
mechize	Trennung
mechschajfe	Hexe
mechule	verdorben
meglech, ummeglech	möglich, unmöglich
meglechkajt	Möglichkeit
mejdele	Mädchen (Verkleinerungsform)

mejdl, mejdlech	Mädchen
meschigeh	verrückt
mezie	günstiger Kauf
mid	müde
minutn-zajger	Minutenzeiger
mischpuche	Familie
misteries	geheimnisvoll
mizwojs	die 613 Ge- und Verbote (eine mizwe ist auch eine gute Tat)
morg	Leichenhaus
nafke	liederliches Frauenzimmer
nar	Narr
narkotik	Rauschgift
nasch-bajtl	Papiertüte voller Gebäck
nebech	Ausdruck des Bedauerns, meist ironisch gebraucht
neschume	Seele
netilat jadaim	Waschen der Hände
nit-guter	Tunichtgut
nopl	Brustwarze
nostichl, nostichlech	Taschentuch, Taschentücher (vgl. schweizerisch Nastuch)
nudnik	Quälgeist
ochor	Arschloch
ofis	Büro
ojberschter in himl	Oberster im Himmel
ojch	auch
ojer, ojern	Ohr, Ohren
ojg, ojgn	Auge, Augen

ojsgekakt	ausgeschissen
ojsgekechelt	geschniegelt (wörtlich: ausgekocht)
ojspatschn	ohrfeigen
ojswurf	Auswurf, Abschaum
ongetrunkn	angetrunken
onzinder	Feuerzeug
opfal	Abfall
orntlech	ordentlich
otem	Atem
pajsech	Pessach, Erinnerungsfeier anlässlich des Auszuges aus Ägypten
papiros	Zigarette
partei	Teil
pischechz	Urin
pischn	pinkeln
piter	Butter
plizling	plötzlich
por	Paar
potz	Penis
presn	bügeln
pres-ejsn	Bügeleisen
projges	beleidigt
punem	Gesicht
Rav	hebräisch für Rabbiner
rechen-maschin	Computer
rojch, rojchern	Rauch, rauchen
rojchndik	rauchend
roscheschone	Rosch Ha Schanah, jüdisches Neujahr
ruk-schpigl	Rückspiegel
sach	Sache

sajde	Großvater
schabbes	Sabbat; letzter und heiliger Tag der jüdischen Woche
schandhojs	Schandhaus, Bordell
schejn	schön
schejnkajt	Schönheit
schelchel	Schälchen, Tasse
schidech	Heiratsvermittlung
schiker	betrunken
schiker wi lot	stockbesoffen
schikse	nichtjüdische Frau, die Bedeutungs-nuancen reichen von ironisch über erotisch zu beleidigend (als Lehnwort im Deutschen ›Schickse‹ geschrieben)
schiwe sitzen	trauern, sieben Tage lang
schlong	Penis (wörtlich: Schlange)
schlufn	schlafen
schlufndik	schlafend
schlumpe	Schlampe
schlung	Schluck
schmattes-gescheft	Kleiderladen
schmok	Penis, auch gebräuchlich als Bezeich-nung für einen unangenehmen Menschen
schmonzes	Geschwätz, Unsinn
schnips	Krawatte
schofer	Chauffeur
schotn	Schatten
schpajskart	Speisekarte

schpasik	spaßig, seltsam
schpejt,	spät, später
schpejter	
schpilkes	Nadeln
schpitol	Spital
schtern	Stern, Sterne
schtik	Stück
schtik drek	Stück Dreck
schtilkajt	Stille
schtot	Stadt
schtrik-jak	Strickjacke
schtub	Wohnzimmer
schtup	sexueller Akt, das Verb dazu ist schtupn (wörtlich: stupfen, stoßen)
schuflod	Schublade
schul	Synagoge (Ort des Betens, aber auch des Lernens, daher die Bezeichnung Schule)
seder	wörtlich Ordnung, Kurzbezeichnung für den seder-Abend, den Vorabend des pajsech-Festes
siddur	Gebetsbuch für den Alltag
simche	Freude, Fest
sininke, sinele	Söhnchen
sis	süß
sukes	Sukkot, Laubhüttenfest
sun-sezn-sech	Sonnenuntergang (Sonne-setzen-sich)
tajtfinger	Zeigefinger
tajwlsch	teuflisch
talit	Gebetsmantel

tate	Vater
tepech	Teppich
tefilin	Gebetsriemen
tichtigkajt	Tüchtigkeit
tinef	Tand
tir-ojfmachener	Türöffner
tir-schildl, tir-schildlech	Klingelschild
tisch-tech	Tischtuch
tog, teg	Tag, Tage
tojt	Tod
tojsnt	tausend
tramwaj	Straßenbahn
treferaj	Wahrsagerei
trejfe	unrein, unkoscher
trern	Tränen
trojerik	traurig
tschmokn	schmatzen
tscholent	Eintopf, wird am Freitagmittag zubereitet und bis Samstagmittag warm gehalten, da am schabbes das Kochen verboten ist
tuches, tejcheser	Hintern
ufbrojs	Aufbrausen, Wutausbruch
umkum	Verderb
untam	Schussel
unterschte lip	Unterlippe
uwnt	Abend
uwnt-bloj	abendblau
wagine	Vagina

wej	weh (oj wej = oh weh)
wi asoj	wieso, sinngemäß: Wie kommt das?
wint-jak	Windjacke
zajt-opschtand	Zeitabstand
zebombirn	bombardieren
zejn-berschtl	Zahnbürste
zejner	Zähne
zejn-wejtik	Zahnschmerzen
zemischt	verwirrt
zirung	Schmuck
ziternisch	Zittern
zuklemterhajt	betrübt
zunischt machen	zunichtemachen
zures	Unglück, Leid
zwajfl	Zweifel

SPRICHWÖRTER

As men hot nischt wus ze tin, is kakn ojch an arbet.
Solange man nichts zu tun hat, ist Scheißen auch eine
Arbeit.

A wajb schtelt ojf di fis un warft fin di fis.
Eine Frau stellt einen auf die Füße und wirft einen von
den Füßen.

Me ken lekn di finger!
Man kann sich die Finger ablecken!

Nischt ale zures kumen fun himl.
Nicht alles Unglück kommt vom Himmel.

MAME WOLKENBRUCHS KNAJDL-REZEPT

3 Eier
1 Ess-lefl Öl
½ Tasse kaltes waser
1 Tasse Matzenmehl
1 tej-lefl Salz

Alles miteinander vermengen, Teig eine schtunde zuge-
deckt ruhen lassen.

Dann mit nassen Händen kleine Bällchen formen und diese
nacheinander in kochendes Salz-waser geben.

Sobald das waser wieder zu kochen beginnt, die knajdlech
zehn minutn ziehen lassen.

Allen Gästen reichlich schöpfen, auch wenn sie längst genug haben.

A gitn appetit!

Das Diogenes Hörbuch zum Buch

Thomas Meyer
*Wolkenbruchs wunderliche Reise
in die Arme einer Schickse*

Ungekürzte Autorenlesung

4 CD, Spieldauer 287 Min.

Thomas Meyer
Rechnung über meine Dukaten
Roman

Preußen im Jahre 1716. Der exzentrische König Friedrich Wilhelm 1. gibt Unsummen aus für die Langen Kerls, seine Leibgarde aus lauter riesigen Männern, die er zwangsrekrutieren oder im Ausland entführen lässt. Das widerfährt auch dem jungen Bauern Gerlach, den er zu seinem neuen Liebling erklärt.

Auch Betje, eine großgewachsene Konditorstochter, findet Gefallen an dem fremden Hünen. Während sie sich fragt, wie sie ihm näherkommen könnte, beschließt der König aus Spargründen, seine Riesen selbst zu züchten, und Betje findet sich plötzlich in offizieller Mission in Gerlachs Kammer wieder.

Doch der König hat ein, zwei Dinge nicht auf der Rechnung – darunter den unzähmbaren Zorn des norwegischen Riesen Henrikson...

»Ein unfassbar komischer historischer Roman.«
Stephan Draf / Stern, Hamburg

»Ein augenzwinkerndes Buch über Menschenplanung vor dem Gentechzeitalter.«
Daniel Arnet / SonntagsZeitung, Zürich

»Intelligenter Lesespaß.«
Claus Ambrosius / Rhein-Zeitung, Koblenz